Noviembre 2019   N.º 462

Revista de Occidente

Fundada en 1923
por
José Ortega y Gasset

Director:
José Varela Ortega

Secretario de Redacción:
Fernando R. Lafuente

Gerente:
Carmen Asenjo Pinilla

Consejo de Redacción:
Joaquín Arango • **Juan Pablo Fusi Aizpurua** • **José Luis García Delgado**
Emilio Gilolmo • **Manuel Lucena Giraldo** • **Benigno Pendás**
Juan Pérez Mercader • **Jesús Sánchez Lambás** • **José Manuel Sánchez Ron**

Colaboradora editorial: **Amalia Iglesias Serna**

Diseño de maqueta: **Vicente Alberto Serrano**

Edita:
Fundación José Ortega y Gasset-Gregorio Marañón
Redacción y Publicidad:
Fortuny, 53. 28010 Madrid Teléf.: 91 700 35 33
revistaoccidente.coordinacion@fogm.es
Teléf. Suscripciones: 91 447 27 00
www.ortegaygasset.edu

Esta revista ha recibido una ayuda a la edición del Ministerio de Cultura y Deporte en 2019.

Distribuidora: **SGEL** (Sociedad General Española de Librería)
Avda. Valdelaparra, 29 (Polig. Ind.) 28008 Alcobendas (Madrid) Teléf.: 91 657 69 00 / 28

ISSN: 0034-8635

Fotocomposición, impresión y encuadernación: **M y P color**

MÁSTERES UNIVERSITARIOS OFICIALES EN CIENCIAS SOCIALES
EXCELENCIA E INNOVACIÓN PARA TU FUTURO

www.iuiog.com
infocursos@fogm.es

GOBIERNO Y ADMINISTRACION PUBLICA

ALTA DIRECCIÓN PUBLICA

CULTURA CONTEMPORÁNEA: LITERATURA, INSTITUCIONES ARTÍSTICAS Y COMUNICACIÓN CULTURAL

MARKETING, CONSULTORÍA Y COMUNICACIÓN POLÍTICA

COOPERACIÓN INTERNACIONAL Y GESTIÓN DE POLÍTICOS PÚBLICAS, PROGRAMAS Y PROYECTOS DE DESARROLLO

ANÁLISIS ECONÓMICO DEL DERECHO

GESTIÓN DE SEGURIDAD, CRISIS Y EMERGENCIAS

Doctorados

Másteres Títulos Propios

DOCTORADO EN ECONOMÍA Y GOBIERNO

GESTIÓN DE POLÍTICAS DE DESARROLLO Y COOPERACIÓN INTERNACIONAL

DERECHO INTERNACIONAL PÚBLICO Y RELACIONES INTERNACIONALES

Profesores
de las mejores
Universidades

+30
años
experiencia

+30.000
alumnos

Becas
y financiación

Formación
presencial
semipresencial
y online

Campus
virtual

Programas
mencionado
en ranking

SUMARIO

Ezequiel: maestro y amigo

José Varela Ortega

Conocí a Ezequiel Gallo en Oxford, a fines de los años sesenta, de la mano –como tantos otros– de Joaquín Romero Maura. Por entonces, Ezequiel había terminado su doctorado en Oxford y, muy poco después, ocupó la cátedra de Latin American Studies de la Universidad de Essex, aunque tengo la impresión de que su centro intelectual seguía ubicado entre Woodstock y Banbury Rd., en St. Antony's College: afortunadamente, para quienes por entonces iniciábamos nuestra andadura como historiadores en un entorno intelectualmente tan vivo, fascinante e internacional como difícilmente repetible.

Desde entonces, le vi y charlé con él en incontables ocasiones, tanto en Inglaterra (hasta 1974), como en España y en la Argentina, hasta casi su desaparición (la última vez fue en una residencia del centro de Buenos Aires y me despedí más feliz que entristecido de que me hubiera reconocido perfectamente). Ezequiel era un conversador inagotable y entretenidísimo: un gran relator de historias de toda laya, un observador minucioso e inteligente, que alimen-

taba un espíritu dotado de eso que llamaban los ilustrados franceses *la grande curiosité*, en singular y atractiva combinación con un
carácter envidiable y un inagotable sentido del humor, al servicio
de una profunda elegancia personal e intelectual.

Por eso, amén de disfrutar, aprendí tanto de él. En 1970, Ezequiel había presentado su tesis de doctorado en Oxford y publicado su trabajo «Agrarian expansion and industrial development
in Argentina (1880-1930)»: un trabajo rompedor (admirablemente
descrito en el artículo de Fernando Rocchi estampado en estas
páginas), que, partiendo de una producción agrícola orientada al
mercado internacional, cuestionaba severamente el dogma en boga
entonces de un crecimiento necesaria y únicamente fundamen-
tado en la expansión del mercado interno. A la sazón, yo –en mi tesis sobre la Castilla del último tercio del XIX– estaba precisamente
centrado en el terremoto económico (y, eventualmente, político)
que la trepidante expansión agraria de países nuevos, con tierra
abundante y mayor productividad estaban desencadenando en
Europa continental; primero en Francia, luego en Italia y, por fin,
en la España interior de tierras de cereal de escasa productividad.
El enfoque comparativo e interdisciplinar de Ezequiel me resultó
fascinante: él fue también quien me presentó a Max Hartwell
(el famoso historiador económico australiano y, durante algún periodo, su director de tesis) y ambos me animaron a sumergirme en
los archivos del Ministerio español de Agricultura, cuestionando
vivamente el impacto, que los europeos continentales tenían por
positivo, del tratamiento de la agricultura como una *infant industry*
y su corolario: los aranceles proteccionistas de los años ochenta y
noventa del ochocientos en la Europa continental. Las conclusio-
nes de aquellas enseñanzas e investigaciones fueron chocantes: al
menos en España, el área cultivada y las producciones totales habían crecido, pero a costa de la productividad, roturando tierras de
pasto y ocasionando una disminución de la cabaña ganadera.

Los trabajos de Ezequiel sobre Santa Fe, que a los pocos años cristalizarían en un libro seminal (que dicen los americanos) y ejemplar, *La Pampa gringa*, nos condujo a ambos a una intensa relación intelectual: la ruptura democrática del sistema oligárquico de lo que Natalio Botana llamaría «gobiernos-electores», en relación –y, en parte como consecuencia– de la ley electoral Saenz Peña de 1912 y la victoria radical de 1916 (el año, dicho sea de paso, del primer viaje de Ortega a la Argentina). Un proceso temprano de democratización, muy madrugador en relación a la mayor parte de Europa (el Reino Unido incluido), y bien anterior a la primera gran oleada democrática que sucede a la Gran Guerra. Un proceso que constituía el tema central de mi tesis en Oxford, traducida y publicada posteriormente en castellano con el título de *Los amigos políticos*. Me parece que a Ezequiel le interesó la organización y cristalización en España de la Restauración de 1875: un régimen que buscaba evitar ese «cementerio de proyectos [y gobiernos] hegemónicos» del que nos habla, en otro contexto, Natalio Botana, en su espléndido artículo, para lograr que la seguridad de un «turno pacífico» desincentivara el caudillismo político-militar. Y también pienso que le divirtió comprobar cómo una competencia política libre iba abriendo huecos democráticos en un régimen inicialmente diseñado para satisfacer, alternativamente, a «los señores del poder» y a sus clientelas.

Ezequiel vivió en primera persona, en relación estrecha con múltiples interlocutores, y con un interés apasionado que, sin embargo, nunca turbó su agudo temple profesional, todo el proceso de cambio en una España que el había conocido a principios de los años sesenta y de la que se despidió doblado ya el siglo. Muchas veces me dijo que era de los países que había visto transformarse más profundamente. Tampoco se le escaparon las claves de la Transición democrática. Alguna de ellas me la repetía constantemente: «acá, unos y otros han comprendido que hay cosas que no se pueden hacer ni en política ni en economía». Apreciaba, en efecto, la virtud de la prudencia, pero lo que de verdad le emocionaba era la capacidad de transformación de la libertad y constatar el cambio profundo de la mentalidad en una sociedad. Recuerdo una ocasión en que me abordó muy impresionado porque había registrado algún programa de radio y televisión sobre «jóvenes emprendedores»: «de modo –me dijo– que el término emprendedor, por más trabas artificiales que le pongan, ha pasado acá a considerarse una virtud». Y, *sensu contrario*, le «volaba» (que dicen en español rioplatense) el nacionalismo enteco, provinciano, resentido y desubicado. Yo, a veces, para «cargarle» (hacerle rabiar, en castellano peninsular), le llevaba a un restaurante argentino de carne, bueno, pero que las servilletas componían la bandera albiceleste y una de las paredes aparecía decorada con un enorme mapa de la Argentina a escala que contenía todos los países de la Unión Europea, y aún sobraba mucha Argentina. La leyenda le enfureció: «¿De quién es la culpa?», se leía retadoramente. A la segunda visita, me dijo: «no me vuelvas a traer acá, porque "la culpa" es precisamente de estos que han fabricado este mapa y su leyenda».

Sentado lo que antecede, para mí –para todos nosotros en *Revista de Occidente* y en la Fundación José Ortega y Gasset, en España y en la Argentina– Ezequiel Gallo tiene otra dimensión institucional y pedagógica de suma importancia. Durante años, Ezequiel impartió cursos de doctorado en el Instituto Universitario Ortega y Gasset y yo mismo asistí como oyente a alguno de ellos, porque el profesor Gallo explicaba como nadie la Ilustración escocesa y los orígenes –y fundamento– del pensamiento liberal en Europa y en América. Pero la influencia de Ezequiel llegó mucho más lejos: hizo posible la docencia misma, porque el suyo fue también un aliento institucional. Ezequiel atrajo a la Fundación una generación inigualable de científicos sociales (término que a él, como a Hayek, le gustaba poco) argentinos. Guido di Tella, una de las personas más inteligentes, atractivas, divertidas y generosas con las que me he tropezado en esta vida y al que debemos cumplido homenaje; Natalio Botana (cuyo luminoso trabajo *El orden conservador*, mojón y seña de toda una época, sigue navegando como ejemplo del buen hacer histórico); Roberto Cortés Conde, lúcido, aunque implacable, economista que nos enseñó tantas cosas (yo, en concreto y en mi último libro, recordé con provecho como Roberto me había definido aquel sistema imperial de otro tiempo como un imperio minero); Alieto Guadagni, el más listo del pueblo, que dirían los castizos, y uno de los pocos economistas que conozco capaz de formular predicciones acertadas; Oscar Cornblit y Ezequiel de Olaso; Manuel Mora y Araujo, el mago de las encuestas; y, por fin, Francis Korn, que desmontó (a mí, al menos) ese mito de las (mal) llamadas «clases medias», tan bien como lo hiciera Lewis Namier en Inglaterra mediado el siglo pasado o Mesonero Romanos en España ciento y pico años antes.

En fin, este grupo de argentinos que nos llegó de la mano de Ezequiel han sido tantos y tan buenos... Eso sí, un embajador de España, a quien le presenté a casi todos, me espetó: «tus amigos, de primera, pero de lo que no estoy seguro es de que sean un fiel reflejo de la realidad mayoritaria del país». Sin embargo, gentes de esa calidad humana e intelectual, empezando por el propio Ezequiel Gallo, están siempre muy por encima de la media de cualquier país. Y, en todo caso, en muchos de nosotros, han servido para apuntalar y renovar la esperanza, que, en mi caso, heredé de mis abuelos y de mi madre, de esa Argentina generosa e inteligente a la que tanto debemos.

Uno empieza a sentirse viejo cuando le faltan amigos e interlocutores con los que tanto ha conversado. Al doblar las páginas del libro que acabo de finalizar, sentí cuánto extrañaba la ausencia de Ezequiel. Y, de pronto, recordé una tarde en El Escorial, en que

visitamos la pinacoteca y la biblioteca, la mejor –y la más hetero-
doxa de su tiempo– que Ezequiel me dijo pensativo: «tengo la
impresión de que esta parte de nuestra historia común no nos
la hemos contado bien a nosotros mismos». Como, al parecer, ase-
guraba Quevedo, a través de los libros, uno termina hablando con
los muertos. Pero, Ezequiel Gallo no se ha ido: para mí, se ha des-
vanecido porque yo sigo intentando adivinar sus preguntas e ima-
ginándome sus respuestas.

J. V. O.

La coyuntura política

Natalio R. Botana

¿Qué hubiésemos pensado con Ezequiel Gallo, a quien con justa y afectiva razón rendimos homenaje en este número de *Revista de Occidente*? Si ensayase un diálogo invisible que rememore situaciones semejantes, como era habitual entre nosotros, habríamos comenzado echando una mirada hacia la historia. Las conversaciones con Ezequiel fueron tantas que recorren más de medio siglo de entrañable amistad, estaban siempre impregnadas de historia; aún cuando, al observar hechos triviales, descollaba su capacidad para captar el detalle. Pero esa capacidad tenía también la virtud de abarcar las grandes líneas provenientes del pasado: un enfoque magistral que iluminaba el cuarteto de la historia económica, la historia social, la historia política y la historia de las ideas (sin desconocer una bella aproximación al arte de la biografía).

Hablar entonces de coyuntura y de lo que ésta tiene de oportunidad y de mezcla de circunstancias, nos remitía al pasado siglo XX

argentino y a una sucesión de crisis –económicas y políticas– que
iban dando forma a un proceso en el cual el platillo del progreso
pesaba menos en la balanza que el de la decadencia. A la inversa
del periodo que en los dos concitaba más atención historiográfica
y, por qué no, más empatía; para el área de interés de Ezequiel
Gallo el tramo que se extendía entre 1880 y los años treinta del
último siglo.

La coyuntura política de la Argentina que me toca destacar en
pocos trazos se inscribe pues en esa secuencia de larga duración y
en el legado de una democracia muy frágil desde el punto de vista
institucional, vibrante empero en términos electorales, que marcha
a tropezones, sin una moneda legítima, con un régimen fiscal tam-
baleante y una moral pública a todas luces endeble. Al hablar en
esta coyuntura de 2019 de crisis inflacionaria, estamos naturali-
zando una secuencia jalonada, precisamente, por unas crisis que,
en su raíz última, no serían muy diferentes unas de otras. Hay,
desde luego, explicaciones económicas en torno a estos ciclos repe-
titivos, aunque los factores políticos sean acaso más relevantes.
Entre ellos señalaría el crepúsculo de la democracia de partidos,
que ha sido reemplazada por una democracia de candidatos, movible y en todo caso oscilante.

Ignoramos cuánto durará ese ocaso de la democracia de partidos, extendido por Europa y América, tal como lo conocimos en
épocas anteriores a la mutación política y tecnológica que actualmente nos envuelve. Lo que sí podemos advertir es la intensidad
que cobra la sustitución de aquel sistema de partidos fuertes y or-
ganizados que, desde la derecha y la izquierda, ocupó el espacio
del centro político. En la Argentina esa sustitución ha quedado en
manos de facciones personalistas que operan en un espacio frag-
mentado y a la vez cruzado por la línea divisoria entre el peronismo (hoy de la mano ganadora en las elecciones primarias del
mes de agosto integrada por Alberto Fernández y Cristina Kirch-

ner) y el no peronismo encabezado por el presidente Macri que busca su reelección.

Esto no implica que esa línea divisoria sea tan nítida. En rigor, el faccionalismo de origen peronista ha tenido la eficacia suficiente para acompañar, con la candidatura a vicepresidente del senador Miguel Ángel Pichetto, a Mauricio Macri. Por lo visto, las facciones se acomodan y reacomodan según la oportunidad y persiguen un súbito y también movible apoyo popular. Con duradero implante en las provincias, que conforman un Estado federal poco vertebrado, las facciones son desprendimientos de partidos que antaño fueron verticalistas.

Por cierto, en este cuadro no se refleja el hecho de que la política argentina haya sido capturada por *outsiders* al modo de Trump en los Estados Unidos o de Bolsonaro en Brasil (a estos actores del nuevo siglo los podríamos llamar cazadores de partidos). En la Argentina, en lugar de *outsiders* hay cristalización. Se enfrentan contendientes harto conocidos que cambian de vestimenta y repertorio en sintonía con el estilo, ya probado en otros momentos, del transformismo peronista. Una cosa fue el peronismo de Perón (1946-1955 y 1973-1976), otra el de Carlos Ménem y otra, en las antípodas del anterior, el del matrimonio Kirchner.

No obstante, si bien la línea divisoria que destacamos más arriba no es clara y distinta, en el subsuelo de esta coyuntura sigue en ebullición el contrapunto entre dos tipos de regímenes: uno de hegemonía política, mechado de anacronismo económico, y otro, aún en pañales, que procura consolidar una democracia con contenido republicano –lo que es compatible con el respeto a rajatabla del Estado de Derecho– encaminado a la modernización del país, un tema pendiente desde hace décadas a diferencia de la proeza del XIX y comienzos del XX.

Un cementerio de hegemonías y un pluralismo negativo

Lo que ha resultado de esta pugna es un empate donde ninguno de estos espacios logró al cabo prevalecer. Por eso, desde hace años la Argentina es un cementerio de hegemonías. Cualquier intención hegemónica es al cabo vetada por una suerte de pluralismo negativo mucho más apto para rechazar e impugnar que para concertar. Estos *corsi e ricorsi* muestran a las claras una contradicción entre dos conceptos clásicos aplicables a esta coyuntura y a las que la han precedido: una democracia robusta en su legitimidad de origen y famélica en su legitimidad de ejercicio.

El perfil de esta democracia renga se acentuó en esta coyuntura a través de un estilo polarizante que, según el oficialismo y la oposición, respondería a posiciones irreductibles. Este estilo vindicativo, regeneracionista, de dedo en alto y voz tonante, despertaba el malhumor de Ezequiel, y no le faltaban razones históricas ya que esas actitudes venían de lejos, aun desde la etapa de la gran expansión económica y demográfica.

A comienzos de este año, la polarización se puso en marcha como un cuerpo con diferentes cabezas: fue ideológica al oponerse en bloque y sin matices el campo nacional y popular, al republicano y moderno; fue socioeconómica debido a la incompatibilidad que se proclamó en la campaña entre el populismo económico y la responsabilidad fiscal y la apertura de los mercados; fue territorial cuando ubicó el eje del combate en la provincia de Buenos Aires, el distrito con mayor relevancia electoral, y buscó un apoyo complementario en las provincias; fue, por fin, judicial porque transcurre, antes y ahora, en el marco de una justicia politizada, inaceptable para quienes (por ejemplo, la ex presidente Cristina Kirchner, procesada en trece causas de corrupción con siete pedidos de prisión preventiva) la conciben al modo de una *lawfare* o guerra judicial.

Así debutó esta competencia travestida en combate para culminar en el primer capítulo del 11 de agosto en el que se disputaron comicios primarios obligatorios, un engendro institucional a contrapelo de la experiencia en democracias consolidadas como sin duda es la de la República Oriental del Uruguay. En estas primarias predominó el talento táctico para forjar la unidad del peronismo, colocando en el segundo lugar de la fórmula a la controvertida ex presidente, no por ello con menos poder. Al mismo tiempo quedaron al desnudo los endebles pronósticos de las encuestas y la locura que, según estos bruscos vaivenes, cunde en los mercados financieros. Los operadores se desplazan en pocos instantes de la euforia a la fuga en tropel de las posiciones adquiridas. Paraíso e infierno de la especulación.

Estos vaivenes, dignos de infartos institucionales, obedecen al hecho de la ilegalidad de la moneda. Es una manera, en la vena del último Ortega, de «vivir en la ilegalidad» en el campo circunscripto de la soberanía monetaria (va de suyo inexistente). En consecuencia, mientras en los hechos la economía argentina está dolarizada, en el plano de una dolarización legal, dicha vuelta de campana acarrearía enormes costos (reflexión atinada de economistas de peso). Posiblemente en el corto plazo la dolarización legal daría un respiro a la inflación que, sin embargo, no suprimiría las serias dificultades que sobrevendrían en el mediano plazo. Dadas estas incógnitas, el choque entre dolarización sociológica y dolarización legal no está para nada resuelto y marcará con trazo grueso el futuro político y económico del país.

Por fin, si fijamos la mirada en las elecciones definitivas del 27 de octubre y en una hipotética segunda vuelta el 24 de noviembre, se alza en el horizonte inmediato la incógnita de saber si un peronismo, dotado de holgadas mayorías, enarbolará de nuevo una visión hegemónica y unanimista de la Argentina. Una victoria que implique el control del Ejecutivo y el Congreso, apuntalada por la complacencia de la Justicia con el poder de turno, significaría volver a las andadas y seguir cavando otra tumba en el cementerio de las hegemonías frustradas. Tratándose de un régimen presidencial, el equilibrio en el Congreso es fundamental tanto como el comportamiento electoral que debería respaldarlo. Ambos, parece una perogrullada, están indisolublemente unidos en un contexto económico-social como hemos visto severamente deteriorado, con una pobreza creciente que abarca ya a más del 30 por ciento de la población. He aquí otro dramático signo de la decadencia.

El interrogante que se desprende de esta coyuntura es tan obvio como inquietante, ¿podrá en efecto la Argentina salir de este atolladero cuya larga duración se confirma año tras año? Al respecto se abren al menos dos caminos en un territorio minado por la incertidumbre. Los dos tienen que ver con el mínimo de consenso en temas fundamentales; esa argamasa que debería sostener el régimen institucional de la democracia y que la Argentina ha dilapidado a la vuelta de cada crisis.

Del primero, ya lo venimos experimentando desde hace décadas, brota un aire adánico. Cada gobierno, de los muchos que se han sucedido desde 1983 –el año de la instauración democrática– ha ensayado un diagnóstico y una política con pretensiones definitivas. En el punto más extremo de esta visión de la cosa pública, la representación que dichos gobiernos dicen encarnar se haría, en clave populista, en nombre de todo un pueblo concebido como una masa homogénea. El propósito que esta propuesta supone atañe pues a un consenso de imposición, volátil y de tiro corto, que históricamente se superpone con otros sin alcanzar, ninguno de ellos, esa virtud de la legitimidad que Benjamin Constant cifraba en la duración.

Cabe por ende inquerir acerca del cemento que debería unir al faccionalismo en boga para obturar los pésimos efectos de nuestra deficiente legitimidad de ejercicio. Al respecto, no vale tanto la pena observar lo que pasa en las democracias consolidadas altamente desarrolladas (hoy, insisto, con serios problemas), sino comprobar la inteligencia práctica con la que nuestros países vecinos afrontaron la reconstrucción política y económica. Se trató de una intención compartida por gobiernos de centro-izquierda y centro-derecha y aún por gobiernos hegemónicos de talla populista. En Uruguay, Chile, Paraguay, Perú y Colombia y en la Bolivia de Evo Morales parecería haber cuajado la máxima que escuché decir a Felipe González acerca de que con la macroeconomía no se juega. Ni de izquierda ni de derecha, con mayor o menor presión impositiva, la macroeconomía es una sola y no se la puede descalabrar a lo loco con emisión o endeudamiento.

Dado este supuesto, puede pensarse que este pacto macroeconómico, explícito o implícito, es el gran ausente en la política argentina. Tozudamente, la clase política se ha negado a poner manos a la obra, adoptando una ética reformista que ponga coto a una manera irresponsable de entender la praxis de la democracia. Ésta, como indica la tradición liberal-republicana, debe tener la aptitud suficiente para fijar límites y con ellos respetar los frenos y contrapesos ínsitos en una Constitución venerable cuyos orígenes se remontan a 1853.

El segundo camino desemboca en el gran tema de la administración de la Justicia. En esta coyuntura es cada vez más evidente que la polarización ha penetrado en los estrados de la Justicia: los divide y los hace presa de conflictos intestinos. El presidente de la Corte Suprema de Justicia de la Nación ha dicho que hay una «crisis de legitimidad de la Justicia» y el presidente de la Corte de la Provincia de Buenos Aires aludió sin mayores precisiones a «causas armadas artificialmente» con complicidad de los servicios de inteligencia y medios de comunicación.

A la luz de estas declaraciones –no son las únicas– podríamos aducir que la Argentina soporta una democracia sin arbitraje neutral. No solamente hay competencia llevada al nivel de antagonismo en el juego electoral; se cuestiona asimismo a los árbitros de dicho juego. Es un cuadro preocupante, actual y posible, de futuros carcelarios que incluye a los gobernantes que se fueron y, hacia delante, a los que están en funciones. Alguien podría alegar que del pavoroso terror recíproco de décadas afortunadamente superadas hemos pasado a la venganza recíproca que se dirime en los tribunales y hasta, con una pizca de cinismo, señalaría que, a pesar de todo, es un progreso. Menudo progreso.

Por este motivo hay en danza una paradójica coincidencia: los bandos de la polarización reclaman en efecto una reforma de la Justicia. La predican sólo hasta este punto porque a estas propuestas las separa un abismo. Muy distinto es apuntalar la Justicia según un concepto liberal-republicano, persiguiendo su mayor autonomía, libre de la contaminación política, que el propósito de subordinar la Justicia a una hegemonía política para transformarla en un instrumento de dominación.

Queda así en evidencia que una democracia sin el vigor y la consistencia que, mancomunadas, ofrecen una constitución económica y una constitución moral no hace más que prolongar su declinación. Tal vez, vuelvo a imaginar, Ezequiel diría, inspirándose en Adam Ferguson (de la Ilustración escocesa, el autor que más admiraba), que estos son, a la postre, los efectos de un *human design* mal concebido. Pero claro, en los que apostamos con él a favor de una historia abierta siempre queda en nuestras manos la carta de jugar a favor de la *human action* con sus efectos imprevisibles y, en no pocas circunstancias, benéficos. Ni la historia, ni el vigor de la sociedad civil y desde luego nuestro diálogo, se han cerrado.

N. B.

Argentina: recuperar el sendero perdido

Alieto Aldo Guadagni

Cuando concluía el siglo XIX Argentina emergía como un actor importante en el escenario internacional, impulsado por un gran crecimiento poblacional y productivo, iniciado en las últimas décadas del siglo. El historiador Ezequiel Gallo, aportó con sus estudios e investigaciones una significativa contribución al conocimiento de este periodo de la historia argentina, acerca del cual expresaba:

> Se produjo el ingreso masivo de inmigrantes extranjeros, el comienzo de la expansión de la red ferroviaria y la inserción de la Argentina como uno de los proveedores de alimentos más importantes de los mercados internacionales.

También señalaba como un dato expresivo que, en el año 1895, más de la mitad de los habitantes de la ciudad de Buenos Aires habían nacido en el extranjero. Estos años estudiados por Ezequiel

Gallo son los años en los que la Argentina ingresaba al siglo XX con grandes ilusiones acerca de su futuro de grandeza y con fundado optimismo sobre sus posibilidades de ser una gran nación próspera. Es así como el presidente Roca podía afirmar en su mensaje al Congreso de 1903:

> Se inicia una era de progreso real y positivo. El país está lleno de confianza en sus propias fuerzas y se entrega con energía al trabajo... No hay una sola región, por apartada que esté, en la cual no se haya inaugurado, o no esté en vía de construcción, una escuela primaria o superior o de enseñanza agrícola, un ferrocarril, un camino, un puente, un cuartel.

La celebración del Centenario de la Revolucion de Mayo de 1810 encontró al país en plena expansión económica, eran los años en los cuales el ingreso per cápita argentino era similar al de países europeos como Francia y Alemania, mayor que el de España e Italia y más del doble que el japonés. Éste es un hecho sorprendente para muchos contemporáneos para quienes es difícil pensar que Argentina hubiese tenido en el pasado niveles de vida comparables con los de importantes naciones europeas. Eran los años en los que Teodoro Roosevelt, presidente de Estados Unidos, nación que acababa de quebrar el largo liderazgo económico del Reino Unido, pronosticaba que Argentina avanzaba hacia niveles de vida mayores a los de su nación, ya que «tienen la ventaja de aprender de la experiencia americana».

Nada de esto debería sorprendernos, si recordamos que el crecimiento económico de Argentina en los años anteriores a la Primera Guerra Mundial era el más alto del mundo, llegando a duplicar el correspondiente al conjunto de los países industrializados de ese periodo. Estos años corresponden al crecimiento del PBI argentino más significativo del siglo XX, pero a partir de esos años concluye la historia de este sostenido crecimiento económico. Se disiparon entonces las grandes ilusiones, y desde entonces fue cada vez más difícil, a medida que transcurría el siglo XX, encontrar bases firmes para asentar una visión optimista. Por esto hacia 1980 Paul Samuelson podía decir:

> Hay cuatro clases de países, los desarrollados, los subdesarrollados, Japón, que no tiene recursos naturales y es bastante difícil explicar cómo pudo crecer, y finalmente la Argentina, que tiene todos los recursos y se perfilaba hacia 1910 como una gran potencia y sin embargo no pudo nunca consolidar su expansión económica.

Con una perspectiva distinta, pero en la misma línea, Ortega y Gasset había expresado varias décadas antes algo similar, cuando dijo: «Acaso lo esencial de la vida argentina es ser promesa».

La realidad viene confirmando en este globalizado siglo XXI un panorama argentino de frustración y retroceso, distinto al vigente en los años de fines del siglo XIX estudiados por Ezequiel Gallo. Prestemos atención al hecho de que las naciones emergentes se han convertido en el motor del crecimiento mundial, ya que mientras a fines del siglo XX apenas representaban la tercera parte del PBI mundial, hoy ya representan el 60 por ciento, es decir, mucho más que la parte correspondiente a las economías avanzadas. El siglo XX había sido el siglo con el mayor crecimiento económico mundial, impulsado por avances científicos y tecnológicos que expandieron la producción. Ahora, en este siglo XXI los asiáticos están enseñando que el motor del crecimiento económico es la inversión financiada por el ahorro, no como superficialmente sostienen algunos en Argentina que afirman que el consumo interno es el impulsor del crecimiento. Es cierto, y éste ha sido el aporte de Keynes, que el aumento del consumo en una fase cíclica recesiva puede ayudar a salir de una recesión, pero nunca a mantener un crecimiento sostenido. No hay crecimiento sostenido sin ahorro, inversión y aumento de las exportaciones. Los países emergentes y en desarrollo crecen hoy mas rápido que las economías avanzadas porque vienen invirtiendo más que estos países. La mayor parte de estas inversiones han sido generadas por altos niveles de ahorro interno, estimulados por reducidos niveles inflacionarios. Ningún país con alta inflación ha podido crecer de una manera prolongada.

El avance de las economías en desarrollo no es el mismo en todos los continentes, ya que desde hace años es más importante en Asia que en América Latina, región que ha venido perdiendo significación en las últimas décadas. Mientras en 1980 representaba 12,1 por ciento del PBI mundial, en la actualidad esta magnitud apenas llega a 7,4 por ciento. Pero en América Latina no todos los países han retrocedido en el escenario internacional, la excepción notable es Chile, que aumentó su participación en el PBI mundial, ya que subió del 0,29 por ciento al 0,35 en la actualidad. En 1980 el PBI argentino era casi cinco veces mayor al de Chile, en la actualidad es menos del doble.

En Argentina estamos viviendo un largo proceso recesivo, con alta inflación, aumento del desempleo y la pobreza, penurias que han sido frecuentes en las últimas décadas. En los años de la Segunda Guerra Mundial, la economía argentina era la mayor de América Latina, luego Brasil pasó al primer lugar, posteriormente México también superó a Argentina. El retroceso argentino también se manifiesta en la evolución del PBI por habitante. Hace décadas tenía el nivel de vida más alto en la región, pero la situación es hoy distinta. En 1980 el PBI por habitante era en Argentina casi el doble que el de Chile, ahora el chileno es 32 por ciento mayor. En 1980 el PBI por habitante era en Argentina el doble que el de Uruguay, ahora el de este país es 18 por ciento mayor. En 1980 el PBI por habitante era en Argentina 132 por ciento mayor al de Colombia, ahora esta diferencia se ha reducido a 31 por ciento. En

1980 el PBI por habitante argentino era el doble que el de Perú, ahora esta ventaja se ha reducido al 37 por ciento. Algo similar ocurre cuando la comparación se hace con otros países de la región. Los países que en América Latina hoy aumentan de una manera sostenida su producción y su empleo, lo hacen por el esfuerzo de su ahorro, orientado a financiar las inversiones destinadas a aumentar la oferta de bienes y servicios. Esto no significa que la inversión extranjera no sea importante como complementaria, pero nunca sustituto de la inversión financiada por el propio ahorro.

Hace años que Argentina dejó de avanzar por el sendero del crecimiento económico, basamento esencial, aunque no suficiente, de la integración social de la población. Los periodos de crecimiento económico argentino han sido cortos en este siglo XXI, como el último, registrado entre el 2003 y el 2008; ya hace una década que abruman hechos negativos, entre los cuales destacamos un gran déficit fiscal, el estancamiento de las exportaciones, la ausencia de inversiones productivas, la prevalencia de empleos de baja calidad con pobre remuneración, el retroceso educativo, el aumento de la pobreza y la exclusión social y una de las mayores inflaciones del mundo moderno. El retroceso argentino en el escenario internacional es notable, ya que dejó de significar el 1,33 por ciento del PBI mundial en 1980, para disminuir a la mitad en 2019 (0,65 por ciento). Lamentablemente nuestra realidad es hoy distinta a la vigente en los años tan bien estudiados por Ezequiel Gallo.

Es alentador que un importante activo de Argentina sigan siendo los recursos naturales, no sólo el agropecuario sino ahora también los recursos de hidrocarburos en Vaca Muerta y los mineros a lo largo de más de 5.000 km de los Andes. Pero no será suficiente con una «lluvia de inversiones externas», como la de fines del siglo XIX, ya que no hay crecimiento sin inversión propia, y no hay inversión sin ahorro, pero atención, aquí entra en juego negativamente el gran déficit fiscal argentino, ya que el déficit fiscal es ahorro negativo, es decir mientras mayor sea el déficit fiscal, menos será el ahorro y por ende menos serán las inversiones. Es decir que con gran déficit fiscal, motivado por un creciente gasto público, no puede haber crecimiento económico.

El desafío que hoy enfrenta Argentina es cómo aumentar sus inversiones, para hacer posible la expansión de la producción, las exportaciones y el empleo, es decir construir un escenario económico expansivo más cercano al que existía hace más de un siglo, en los años estudiados por Ezequiel Gallo. Pero sin un acuerdo político esto será difícil, como lo ha puesto en evidencia la reciente experiencia institucional. Es hora de amplios acuerdos políticos que permitan retomar el camino del crecimiento, perdido ya hace tiempo. No será fácil pero es el único camino para eliminar la pobreza y superar la exclusión social, propia de una economía en retroceso. Esta será la principal tarea del nuevo gobierno que iniciará su mandato en diciembre de este año. Hoy más que nunca sigue vigente el mandato de Ortega y Gasset: «¡Argentinos, a las cosas!».

A. A. G.

Ezequiel Gallo: el encuentro de la historia social con la libertad del individuo

Fernando Rocchi

Durante mucho tiempo, en la historia y en la sociología, dominó el concepto de estructuralismo (que encontraba la causa de todas las cosas en la economía). Como resultado, los individuos carecían de capacidad para actuar de manera independiente de sus respectivas clases sociales, de las relaciones en las que se veían envueltos de acuerdo con el modo de producción en donde las mismas eran predominantes y de las ideas (políticas o religiosas) que resultaban las adecuadas y funcionales para los sistemas económicos. Muy pronto, en la Argentina, hubo un historiador que se resistió a esa forma de interpretar el pasado. Se llamaba Ezequiel Gallo.

La sociología comenzó a elaborar el concepto de *human agency* (que encontró en castellano la desafortunada traducción de «agencia») como la capacidad de los individuos para tomar sus propias decisiones. El concepto de «agencia» tomó forma y se basó en seis principios: 1) la libertad en general, 2) el *free will*, o libre albedrío en sentido más particular, 3) la acción, 4) la creatividad, 5) la originalidad y 6) la posibilidad del cambio a través de las acciones de agentes individuales libres.

Ezequiel Gallo comenzó a aplicar el concepto de *human agency* desde que inició su larga relación con la provincia de Santa Fe. Parte de esta relación estuvo ligada al entramado académico de la Argentina de entonces y, sobre todo, a las expectativas por emprender una renovada investigación histórica que ofrecía por entonces la ciudad de Rosario, a partir de 1956, como una sede de la Universidad Nacional del Litoral en el área de Humanidades y Ciencias Sociales. Dos historiadores muy ligados a Ezequiel Gallo ocuparon posiciones importantes en Rosario: Nicolás Sánchez Albornoz como profesor y Tulio Halperin Donghi como decano de la Facultad de Humanidades. La masa crítica de buenos investigadores aumentaba. Y el ambiente favorable a los estudios históricos serios y académicos crecía en la ciudad y en su facultad: en total, el número de estudiantes de todas estas dependencias de la Universidad del Litoral en la mayor ciudad de la provincia –que incluían además Medicina, Odontología, Ciencias Exactas, Ciencias Económicas, Derecho y Ciencias Agrarias– llegaba, en 1963, a 15.456 (la Universidad Nacional de Rosario se crearía en 1968, en medio del clima opresivo de la dictadura del general Onganía, con el plantel de nuestros historiadores ilusionados años atrás fuera de las aulas).

El primer artículo de Ezequiel Gallo sobre la provincia de Santa Fe fue publicado en el *Anuario de la Universidad Nacional del Litoral, Rosario.* En esta revista aparecieron algunas de las más importantes investigaciones de la historiografía argentina de la época; en buena medida reproducía en el ámbito universitario los principios de rigor académico de *Desarrollo Económico* –fundada en 1960– del Instituto de Desarrollo Económico y Social, una publicación que se volvió legendaria. En este trabajo, Gallo estudió el crecimiento económico de la provincia que alcanzó la mayor expansión relativa de toda la Argentina en el período 1870-1914. Su población pasó de 41.261 habitantes en 1858, entre los que se encontraban 4.304 extranjeros, a 900.000 en 1914, con 316.000 inmigrantes. Su superficie cultivada con trigo y maíz aumentó, en esos mismos años, de 36.000 y 17.000 a un millón y 1.250.000 de hectáreas. El crecimiento, sin embargo, había sido espacialmente desigual.

Fue en la estructura regional de este proceso donde Ezequiel Gallo centró su atención y de donde saldría su curiosidad histórica posterior. ¿Cómo podía explicarse el surgimiento de economías agrarias tan prósperas que llevaban a una expansión a escala exponencial de la producción de cereales y que ciudades como Rosario, Rafaela, Sunchales y Venado Tuerto crecieran como hongos, amén de los numerosos pueblos que dejaban de ser aldeas? Buena parte de la respuesta estaba, para Ezequiel, en quiénes lo lograron: inmigrantes que, sea como colonos o arrendatarios, parecían haber llegado con una capacitación tecnológica universitaria que no se correspondía con la escasa instrucción formalmente precaria con la que supuestamente habían llegado a la Argentina. Había aparecido la pregunta, que el propio Gallo iría respondiendo con sus publicaciones.

La ocupación de ese espacio había sido obra de la propia decisión de los colonos. El sabio Carlos Germán Burmeister había aconsejado que la actividad productiva se centrara en la zona norte de la provincia, que probaría ser la menos apta para el cultivo de cereales. Burmeister había nacido en Prusia en 1807 y emigrado a la Argentina con bastante fama cincuenta años después. En 1859 recorrió las ciudades de Rosario, Córdoba y Tucumán, donde se asentó por varios meses, para luego seguir a Catamarca y La Rioja, cruzar a Chile, viajar a Panamá y regresar a Europa, para reinstalarse en la cátedra que ocupaba en Halle. Publicó en esos años su *Viaje a los Estados del Plata*, un estudio que pretendía emular a Humboldt y en el que se refería a la situación física y geográfica, así como a la cultural, de la República Argentina. Volvió a Buenos Aires, ya como director del Museo de la ciudad y con el título indiscutido de sabio, en 1862. Fundó la Academia de Ciencias Naturales más de una década después, por encargo del presidente Domingo Faustino Sarmiento. Una gran obra de Burmeister, la *Description Physique de la République Argentine d'après des observations personnelles et étrangères* (escrita también en alemán y dedicada a Sarmiento) en cuatro tomos editados desde 1876 a 1879, junto con el álbum *Vues pittoresques de la Republique Argentine*, con ilustraciones de la flora, fauna, geología y paleontología del país, terminaron de consagrarlo como científico eminente.

Los colonos no le creyeron a Burmeister, a pesar de su fama de sabio, en cuanto a la localización de las tierras de cultivo en el norte de Santa Fe; el naturalista creía que el trigo jamás iba a crecer en la región pampeana. Los colonos creyeron en su propia intuición. Y tomaron la alternativa más racional posible: se establecieron en el sur, en el centro y en la franja fértil del noroeste, tan diferente del resto de la región norteña aconsejada como espacio por el gran erudito. La *human agency* se cumplía: no es más que la capacidad o habilidad que tiene un individuo para actuar, directamente relacionado con el conocimiento que ha logrado gracias a su experiencia (y no a imposiciones estructurales ni a propuestas de sabios) respecto del medio ambiente en que había actuado y en el que tocaba ahora actuar.

La obra cumbre de Ezequiel Gallo fue *La Pampa gringa. La colonización agrícola en Santa Fe (1870-1895)*, publicada en 1984 dentro del convenio que la Editorial Sudamericana había firmado con el Instituto Di Tella, del que el propio Ezequiel fue miembro y director en los duros años de la década de 1970 en que se instauró la última dictadura argentina. El libro se convirtió en el punto de partida para una nueva historia social del campo argentino, que encontraría continuadores de la talla de Marta Bonaudo, Carina Frid, Julio Djederedjian y Juan Luis Martirén, sólo para mencionar algunos. En *La Pampa gringa* Ezequiel Gallo reconstruyó de manera brillante la vida social, económica y política de la provincia de Santa Fe en el período del auge exportador. En una historiografía sobrecargada de estructuralismo, el libro se pobló de seres humanos que tomaban decisiones propias, se agrupaban, reagrupaban, desagrupaban o decidían no agruparse. Fue una bocanada de aire fresco en el campo historiográfico argentino.

Los nueve capítulos de *La Pampa gringa* se abrían con un estado de situación de la provincia de Santa Fe en 1870, ciertamente muy poco poblada y muy pobre en logros productivos. El segundo, referido a la colonización agrícola, mostraba el despliegue de colonos, primero alemanes y suizos (y menos franceses y belgas) en la zona entonces de frontera del centro de la provincia, desde la fundación de Esperanza en 1856 y la creación de nuevas colonias en su entorno, y posteriormente de italianos del norte que compraban las tierras que les ofrecía el ferrocarril británico Central Argentino, que justamente había recibido como incentivo varias leguas de regalo al costado de las vías porque atravesaba un territorio casi desierto donde había poco o nada que cargar en los trenes. El tercer capítulo «Tierras públicas, lanares y trigo» se desenvolvía en los orígenes de una actividad productiva en principio dedicada a autoabastecerse, para pasar a vender a zonas cercanas, cubrir las necesidades del mercado interno y posteriormente a vender en el exterior, en la que era una de las provincias más pobres de la Argentina de entonces. «Propietarios de la tierra», el cuarto capítulo, resultaba un análisis fantástico del comportamiento de estos actores rurales que, lejos de la figura del campesino latinoamericano, producían para el mercado, podían ser arrendatarios que cosechaban excedentes para comercializar y hasta se convertían en pequeños propietarios, una versión cercana

a la del *farmer* de los Estados Unidos. El capítulo quinto se dedi-
caba a mostrar el momento de expansión, el comienzo del boom de
la economía cerealera de la provincia que primero permitiría abas-
tecer al mercado del Litoral –y hacer que la Argentina dejara de
importar trigo de los Estados Unidos, como ocurría hasta 1875, y
empezar a exportarlo, como ocurrió ocasionalmente en 1876, pero
se afirmó como tendencia a partir de 1880–. El sexto y el séptimo
capítulos «Población y sociedad rural» y «Colonos y agricultores»
describían de manera vivaz y elocuente el surgimiento de un entramado de productores rurales y de pueblos con sus negocios espe-
cíficos y almacenes de ramos generales cuya lectura –con ese
lenguaje tan atractivo que tenía Ezequiel Gallo– parecía la de una
novela y hasta permitía imaginar una película de esa sociedad san-
tafesina. Finalmente, *La Pampa gringa* terminaba con un análisis de
la política. Las primeras colonias (las de los suizos y alemanes)
habían contado con una autonomía que se debía tanto a su origen
étnico como al hecho de ser las pioneras que, motorizadas por el
Estado y ubicadas en la frontera con los pueblos originarios que
debían defender, gozaron de poderes locales que resultaban ex-
cepcionales para la Argentina de entonces. El Estado provincial
decidió, a partir de 1890, terminar con esa situación. El último
capítulo del libro lo dedicó a las revoluciones gringas: los colonos
del centro de la provincia, enojados con el poder ejecutivo de
Santa Fe, se alzaron dos veces con armas en la mano en 1893 y
se adhirieron al partido político –la Unión Cívica Radical– que,
creado dos años antes, estaba tan enojado como ellos pero en su
caso con el gobierno nacional (Ezequiel Gallo publicó un estudio
maravilloso, más exhaustivo sobre el tema, llamado *Colonos en armas*). La descripción del capítulo final de *La Pampa gringa* la tomo
prestada del comentario que hizo Hilda Sábato en la contratapa de
la publicación en 2007 de *Colonos en armas*:

Es una joyita historiográfica. Escrita hace un cuarto de siglo, planteó por primera vez temas hoy centrales en el debate sobre la vida política decimonónica, como las formas de participación de los inmigrantes, el lugar que tenían las elecciones y acciones armadas, y la relación entre dirigencias políticas y bases populares. Para hacerlo, Ezequiel Gallo eligió centrarse en un acontecimiento y contar su historia. El resultado es una narración apasionante sobre lo que pasó y un análisis riguroso de por qué pasó.

¿De dónde tomó Ezequiel Gallo la idea de la *human agency* para aplicarla a sus investigaciones históricas sobre la provincia de Santa Fe? Lo hizo simplemente a partir de sus convicciones personales y de su apreciación de la condición humana así como de las lecturas de los pensadores liberales del Iluminismo de fines del siglo XVII y del XVIII. John Locke había afirmado en varios de sus escritos (*Ensayos sobre el gobierno civil, Ensayos sobre la ley de la naturaleza, Ensayo sobre la tolerancia* y *Ensayo sobre el entendimiento humano*) que la libertad individual primaba y estaba basada en el uso racional del interés personal. Y fue más allá en los dos tratados o ensayos sobre el gobierno civil, cuando llegó a decir que primaba la posibilidad de elección individual sobre las mismas tradiciones (¿algo más parecido que esto a la *human agency*?). Ezequiel Gallo amaba a los pensadores liberales escoceses. El siglo XVIII escocés y los pensadores que tanto le gustaban (Adam Ferguson, David Hume, James Mill y Adam Smith) no hicieron más que proveer de herramientas filosóficas más fuertes y hasta de un generoso empirismo a la idea esbozada por Locke. No había duda: Ezequiel Gallo aplicaba a la historia social y económica de Santa Fe los conceptos que los fascinaban de una filosofía que conocía como pocos en el mundo (y como casi nadie en la Argentina).

La filosofía del siglo XIX tendería a evaporar el concepto de *human agency*. Karl Marx sostuvo que las estructuras económicas dominaban la vida humana y que la ideología burguesa imperaba sobre el común de los mortales. Friedrich Nietzsche agregó que los hombres (en su caso no consideraba a las mujeres) realizaban sus elecciones basados no en el interés individual sino en los deseos egoístas, sin importar las consecuencias sobre el resto de los humanos. El inconsciente de Sigmund Freud y el lenguaje como expresión del inconsciente de Jacques Lacan terminaron de fraguar al estructuralismo que negaba de cuajo la *human agency*. Es que, justamente, este concepto dejaba la teleología a la vez que se alejaba del pasado para pensar en la «construcción propia de un futuro»: no es casual que la idea de «proyectividad» del concepto de libertad humana sea uno de los puntos que más lo atacan.

La idea de *human agency* ha sido elaborada y reelaborada, años más tarde que la aplicación realizada por Ezequiel Gallo. En la famosa clasificación de Matthew Hewson «es la condición de actividad en vez de pasividad. Se refiere a la experiencia de actuar, hacer cosas, hacer que pasen cosas, ejercer poder, ser el sujeto de los eventos o controlar las cosas». Y Hewson la clasifica en «agencia individual», que se produce cuando una persona actúa en nombre propio, en la «agencia proxy», que resulta en el caso de que los actos humanos se hacen por el interés de algún otro, y en la «agencia colectiva», que es la consecuencia de un conjunto de hombres y mujeres que actúan de manera conjunta, como en un movimiento social. Es probable que Ezequiel Gallo coincidiera con algunos de los conceptos de la renovada clasificación de Hewson.

F. R.

BIBLIOGRAFÍA

ARAOZ ALFARO, Gregorio. «Un sabio alemán al servicio de la Argentina, Germán Burmeister». Buenos Aires: Institución Cultural Argentino-Germana, 1943.

ASÚA, Miguel de. *Una gloria silenciosa. Dos siglos de ciencia en la Argentina.* Buenos Aires: Libros del Zorzal, 2010.

BARKER, Chris. *Cultural Studies: Theory and Practice.* London: Sage, 2005.

EMIRBAYER, Mustafa y MISCHE, Ann. «What is Agency», *The American Journal of Sociology*, Vol. 103, n° 4. (Jan., 1998), pp. 962-1023.

GALLO, Ezequiel. «Santa Fe en la segunda mitad del siglo XIX. Transformaciones en su estructura regional», *Anuario de la Universidad Nacional del Litoral, Rosario*, n° 7, 1965, pp. 127-161.

— *Colonos en armas. Las revoluciones radicales en la provincia de Santa Fe (1893).* Buenos Aires: Siglo XXI, 2007. El libro fue primero publicado en Londres como *Farmers in Revolt* en 1976 y pronto apareció una versión en castellano como documento del Instituto Di Tella.

HEWSON, Matthew. «Agency», en A. MILLS, G. DUREPOS y E. WIEBE (Eds.), *Encyclopedia of case study research.* Thousand Oaks, CA: SAGE Publications, 2010.

Instituto Universitario de
Investigación Ortega y Gasset
FUNDACIÓN JOSÉ ORTEGA Y GASSET - GREGORIO MARAÑÓN

Máster Universitario en Cultura Contemporánea:
literatura, instituciones artísticas y comunicación cultural

MÁSTERES
UNIVERSITARIOS
OFICIALES EN
CIENCIAS SOCIALES
EXCELENCIA E INNOVACIÓN
PARA TU FUTURO

www.iuiog.com
infocursos@fogm.es

Directores: Dr. Fernando R. Lafuente y Dr. Epicteto Díaz Navarro

Titulación: Master oficial. Modalidad: presencial

Lugar de impartición: Instituto Universitario de Investigación Ortega y Gasset (IUIOG), Calle Fortuny, 53. Madrid. España.

El Máster tiene como principal objetivo formar especialistas de excelencia con una preparación actualizada en el trabajo y la gestión de las principales áreas de actividad profesional de las llamadas Industrias Culturales, con fundamentos y fines tanto de rigurosa formación académica como de aplicación y ejercicio profesionales. En este sentido, la cuidada variedad y selección de los módulos de formación contenidos en el programa académico del Máster pretende potenciar los conocimientos teóricos y habilidades técnicas de los participantes, para formar culturalmente y encauzar con eficacia el ejercicio profesional del alumnado en fundaciones, museos y galerías de arte, periodismo cultural, editoriales, gabinetes de comunicación e instituciones culturales y artísticas.

Más información: infocursos@fogm.es · +34 917 004 100 · www.iuiog.com

La ideología económica de los argentinos

Carlos Newland

Argentina es un caso único de involución económica. De pertenecer a principios del siglo XX al conjunto de países de mayor ingreso per cápita, ha ido perdiendo puestos en la carrera mundial del crecimiento y hoy en día su tamaño a nivel global se ha reducido a la mitad de su peso en 1910. Sin duda un gran responsable de esta situación ha sido un entramado regulatorio institucional perverso que ha puesto todo tipo de frenos al desarrollo de sus fuerzas productivas. En el último Índice Fraser (2018) que mide la calidad institucional económica global, Argentina aparece en el puesto 160 de 162 naciones. Sólo es superada negativamente por Libia y Venezuela. Prácticamente todas las naciones africanas tienen mejores marcos de funcionamiento que la Argentina y sin duda un anhelo de sus habitantes debiera ser algún día parecerse más al continente negro. ¿A qué tipo de instituciones se refiere el Índice Fraser? A las regulaciones aplicadas sobre la iniciativa privada, el respecto a la propiedad, al tamaño del gobierno y de los subsidios, el proteccionismo, la inflación y el déficit fiscal, y la presión impositiva. Puede postularse que el marco institucional argentino no es consecuencia de algún factor aleatorio y circunstancial, sino que es en gran medida una consecuencia del tipo de cultura económica adquirida por su población, o su ADN ideológico, como se ha denominado recientemente en los medios de comunicación.

Prácticamente no hay estudios de la ideología predominante en la población argentina, por lo que su análisis queda limitado a opiniones o manifestaciones culturales puntuales. Un ejemplo significativo lo brinda lo que es en la práctica el segundo himno nacional argentino. El primero es el Himno Nacional de 1812, una canción patriótica entonada por el ejército revolucionario en sus acometidas contra las tropas españolas. El segundo, tan cantado como el primero, es la marcha peronista, últimamente vocalizado jovialmente en reuniones de los dos principales partidos argentinos, el macrista y el kirchnerista (para llamarlos de alguna manera). Este también es un himno de guerra, pero no contra realistas, sino contra el capitalismo. Así dice en una de sus estrofas: «Por ese gran argentino/ que se supo conquistar/ a la gran masa del pueblo,/ combatiendo al capital». Que en 1947, cuando la composición fue interpretada por primera vez públicamente en la Casa Rosada, se enunciara tal objetivo es sorprendente. Ya para entonces existía a nivel global un gran consenso de que la acumulación de capital era un ingrediente principal para el logro del crecimiento económico y que toda nación desarrollada debía poseer un alto *stock* de este factor de la producción. Queda claro que el pensamiento económico de los argentinos presentaba ya entonces algunos rasgos muy particulares, los que se encarnaron de pleno en las políticas peronistas de aumento del tamaño del Estado, proteccionismo y regulación. Pero esta mentalidad no era nueva. Ya en 1928 José Ortega y Gasset marcaba que los argentinos tenían incorporada en su cultura la idea de un Estado hipertrófico y excesivo. A la vez, no vivían conectados con su contexto y realidad, sino más bien proyectados en un futuro idealizado e ilusorio. El economista argentino contemporáneo Emilio Coni, apoyando la visión del filósofo español, aclaraba en 1930 que los argentinos eran grandes creyentes en el «Estado-Providencia», una entidad que el ciudadano esperaba solucionara sus problemas laborales ofreciéndole empleo sin pedirle mucho a cambio. Esta valoración del Estado, unido a un cierto irrealismo, parece ofrecer las condiciones ideales para prácticas populistas de incremento de las erogaciones sin una evaluación de su financiamiento ni de su impacto a largo plazo. Y así la historia argentina destaca por un continuo déficit fiscal, y por una insoportable inflación, su contracara. Pero podemos retroceder aún más hasta mediados del siglo XIX y evocar al pensamiento de Juan Bautista Alberdi, inspirador de la Constitución de 1853. Para Alberdi el principal impedimento para el desarrollo de la Argentina –y de toda América Hispana– era la falta de apreciación social de la figura empresarial. Los héroes a los que se levantaban monumentos públicos, dedicaban obras poéticas y libros de historia eran siempre políticos o militares, quienes para este pensador eran primordialmente destructores y no creadores de riqueza. No ocurría lo mismo con los que debían ser los verdaderos héroes, los emprendedores. Alberdi consideraba que era necesario lograr un nuevo paradigma social, el del empresario desarrollador tanto de proyectos industriales como agropecuarios. Escribía en las *Bases* en 1852:

> [l]a nueva política debe tender a glorificar los triunfos industriales, a ennoblecer el trabajo, a rodear de honor las empresas de colonización, de navegación y de industria, a reemplazar en las costumbres del pueblo, como estímulo moral, la vanagloria militar por el honor del trabajo, el entusiasmo guerrero por el entusiasmo industrial que distingue a los países libres de la raza

inglesa, el patriotismo belicoso por el patriotismo de las empresas industriales que cambian la faz estéril de nuestros desiertos en lugares poblados y animados...

Queda claro que la descripción de Alberdi o de Ortega y Gasset sigue vigente en la actualidad. El anticapitalismo imperante se asocia muy bien con la otra característica que señalaba el filósofo, una mentalidad fantasiosa y poco realista. En particular ello explicaría por qué en los contextos de gasto o déficit fiscal crítico se implementan planes económicos excesivamente optimistas y condenados al fracaso por los desequilibrios que causan: típicos han sido los esquemas que para contener la inflación en lugar de recortar los gastos generan una dañina revaluación de la moneda. Por otra parte, todo intento de reforma, de «achicar el gasto» sólo perdura en los primeros momentos de los gobiernos: pronto las demandas sociales aplastan tales intenciones. Ciertamente las políticas económicas argentinas cumplen una regularidad: se reiteran situaciones de populismo que incluyen gasto público exacerbado, inflación, aumento de deuda y revaluación de la moneda, seguidas por crisis en el sector externo, en la actividad productiva y de empeoramiento de los salarios reales. Dentro de cada ciclo también se produce otra repetición: el nuevo gobierno que busca solucionar el desequilibrio generado por su predecesor repite luego de un tiempo las mismas conductas. La apreciación en 1933 del economista Luis Roque Gondra sobre la política económica del general golpista José Uriburu parece poder aplicarse a muchos otros períodos: «Como otros cómicos, seguíase representando la misma comedia demagógica momentáneamente interrumpida por (el cambio de gobierno)». Un buen ejemplo lo relata el Ministro de Economía Alfredo Martínez de Hoz, que en 1978 presentó a la Junta Militar dos alternativas para, de una vez por todas, dominar la inflación heredada del gobierno de María Estela Martínez de

Perón. La primera era bajar la emisión, lo que claramente implicaba un recorte del gasto. La segunda era «pisar» el tipo de cambio, lo que atraería a la baja las expectativas de aumentos de precios. La segunda medida claramente no solucionaba estructuralmente el tema y sólo podía tener efectos de corto plazo. La opción de la Junta Militar en favor de la esta última fue, según el ministro, «contundente». Otro caso lo ofrece el economista Ricardo López Murphy quien, como ministro en 2001, propuso al presidente Fernando de la Rúa un recorte del gasto, una propuesta que sería (considerando lo que ocurrió posteriormente) bastante modesta. Pero el presidente decidió reemplazarlo por Domingo Cavallo, quien parecía ofrecer una salida más indolora a la crisis. Los gobernantes, ha manifestado López Murphy, tienen una propensión en situaciones críticas a escuchar diagnósticos y propuestas optimistas, que por otra parte estiman les permiten no perder su popularidad. Los primeros años del gobierno de Mauricio Macri no escapan a esta ley: en lugar de reducir el tamaño gigantesco del Estado y el altísimo déficit heredado de Cristina Kirchner, postuló en cambio que el gasto se reduciría naturalmente gracias al gran crecimiento económico propulsado por una presunta lluvia de inversiones externas. Como siempre, por tal fantasía se pagó y se está pagando un altísimo costo recesivo: entre 2018 y 2019 la caída acumulada del PBI rondará el 5 por ciento. Lentamente, pero a paso seguro, Argentina se está convirtiendo así en una economía latinoamericana más, incluso siendo superada por otras naciones otrora pobres de la región, como Chile.

Todo lo presentado es plausible, ¿pero hasta qué punto es un cuadro objetivo? Una cuantificación de la mentalidad anticapitalista o antimercado de la población argentina lo ofrece el Índice Global de Pensamiento Pro Mercado (FMMI) elaborado por el que escribe estas líneas junto a Pal Czegledi y que fuera presentado en 2018 en diversas publicaciones. La materia prima de este ranking son preguntas incluidas en la Encuesta Mundial de Valores, un emprendimiento global que investiga las actitudes de la población de muchas naciones sobre diversos temas culturales, sociales, religiosos, económicos y políticos. Entre las preguntas que incluye se encuentran algunas cuyas respuestas se han tomado para caracterizar la ideología económica media nacional. Éstas incluyen opiniones sobre la valoración de la competencia, la apreciación de la iniciativa privada sobre la estatal, la idea de que todas las partes se benefician del intercambio y la necesidad de que el individuo pueda actuar con libertad en sus acciones económicas. El índice da como resultado que los países más pro capitalistas del globo son aquellos pertenecientes a la Anglósfera: Gran Bretaña, Estados Unidos, Canadá, Australia y Nueva Zelanda. Este grupo es seguido por naciones del Norte Europeo, como Alemania o Suecia, y por los países de la Sinósfera, como Japón, Taiwán o China. ¿Cuál es el conglomerado mundial más anticapitalista? Es Europa del Este, cuyo largo paso por el comunismo parece haber dejado una marca indeleble. ¿Y dónde está Argentina? No es sorprendente que mi nación se ubique en los últimos puestos de la tabla, compartiendo posiciones con Rusia y Ucrania. Argentina es ideológicamente como aquellas naciones educadas durante décadas en la ideología socialista antimercado. Claro que en Argentina no fue necesaria la imposición de una indoctrinación comunista para llegar a tal estadio.

Quien escribe estas líneas pudo discutir con frecuencia tales cuestiones con su maestro Ezequiel Gallo, quien sin duda compartía plenamente el diagnostico de Ortega y Gasset y Alberdi. Y ¿cuál hubiera sido la conclusión práctica o de acción de este gran historiador argentino? Posiblemente ninguna. Ezequiel era un gran creyente en la evolución social y estaba muy lejos de esperar mucho de cambios entusiastas generados por gobiernos revolucionarios. Aunque él era claramente miembro de una minoría liberal, no hubiera de ninguna manera deseado aplicar sus ideas a la fuerza o con la ayuda del Estado. Simplemente hubiera concluido que lo óptimo era, luego de escuchar al opositor ideológico, intentar convencerlo amablemente. Y el mejor convencimiento era logrado en el caso de un historiador, por mesuradas y meditadas contribuciones al conocimiento del pasado argentino y sobre las trabas que han existido a su desarrollo.

C. N.

BIBLIOGRAFÍA

CONI, Emilio. *El hombre a la ofensiva*. Buenos Aires: Imprenta Amoretti, 1930.

GONDRA, Luis Roque. *Elementos de Economía Política*. Buenos Aires: Librería «La Facultad» de Juan Roldán y CIA, 1933.

CZEGLEDI, Pal y NEWLAND, Carlos. «How is the pro-capitalist mentality globally distributed?», *Economic Affairs*, 2018, 38, 2: pp. 240-256.

— «Measuring Global Free Market Ideology 1990-2015», en: GWARTNEY *et al. Economic Freedom of the World. 2018 Annual Report* (Incluye el *Índice Fraser*).

GÓMEZ, Alejandro y NEWLAND, Carlos. «Alberdi, sobre héroes y empresarios», *Cultura Económica*, 2014.

ORTEGA Y GASSET, José. «El hombre a la defensiva». En su *Meditación del Pueblo Joven* (pp. 15-51). Madrid: Revista de Occidente, 1962. (Publicado inicialmente en 1929).

Revista de
Estudios Orteguianos

38

2019

Centro de Estudios Orteguianos
Fundación José Ortega y Gasset - Gregorio Marañón
C/ Fortuny, 53. 28010 Madrid (España)
Suscripciones: estudiosorteguianos.secretaria@fogm.es
www.ortegaygasset.edu

Apuntes sobre
lo siniestro en Freud

Jorge Alemán

(A partir de una entrevista realizada
por Estela Canuto y Julia Gutiérrez)

Hacer referencia a un texto de Freud en la *Revista de Occidente*
en el momento actual nos recuerda que Ortega y Gasset escribió el primer artículo publicado en España sobre psicoanálisis
en el año 1911[*]. La importancia y originalidad reside en que Ortega
escribió «Psicoanálisis, ciencia problemática» cuando Freud
todavía no había culminado su obra, indicándole también a López
Ballesteros la traducción de los textos de Freud.

A partir del texto *Lo siniestro*, nos proponemos situar a Freud en
una secuencia teórica que vaya pasando –a la vez– por Heidegger,
Lacan y Eugenio Trías.

La atmosfera interna del texto «Das unheimliche» está ya muy
contaminada de lo que posteriormente va a ser una de las obras

---

[*] El texto «Psicoanálisis, ciencia problemática» se publicó en *La Lectura* en
el mes de octubre de 1911, seguido, en diciembre de ese año, por «Psicoanálisis,
ciencia problemática (continuación)» en la misma revista.

fundamentales de Freud, *Mas allá del principio del placer* (1920), donde va a dar un paso radical con respecto a todo su desarrollo anterior, en la medida que establece que el principio más originario del inconsciente ya no es el «principio del placer» sino su más allá, y por lo tanto se vuelven protagonistas de la estructura del inconsciente términos como la *compulsión* o la *repetición* o la *pulsión de muerte*. Desde este momento, el inconsciente se vuelve para Freud más inerte, más denso, más oscuro, y en ese contexto es donde precisamente se puede captar el alcance que tiene *Lo siniestro*.

Eugenio Trias

Freud comienza con una invitación sorprendente a considerar lo siniestro como una categoría estética, que altera en su raíz misma la concepción tradicional de estética relacionada en primer lugar con lo bello. Eugenio Trias, en *Lo bello y lo siniestro*, prefigura lo que posteriormente va a ser su «filosofía del límite», al tomar este desafío trata de romper el límite de la estética constituido en base a la categoría de lo bello. Coherente con su propuesta, recordemos que *el límite* para Trias no se refiere meramente a algo negativo, al no entenderlo como una especie de semáforo rojo que establece una barrera o punto final. Porque el limite siempre une y separa campos heterogéneos y asimétricos como son en este caso lo bello y lo siniestro, elaborando precisamente un nuevo inventario de la estética. Trias revisa la academia florentina, indaga en las obras de Botticelli, culminando con lo que será una de sus grandes obsesiones, la película *Vértigo*, sobre la que retornará, desde distintos ángulos, en muchísimas ocasiones. Lo importante a destacar aquí de la filosofía de Trias, es que para él no hay belleza si la misma no tiene como causa y condición generadora la propia dimensión de *lo siniestro*. La belleza no sólo es el velo de lo siniestro, sino que también lo siniestro es la causa de la belleza. No hay obra de arte que se realice como tal si no guarda algún tipo de relación metonímica, escondida o a modo «indicador» con lo siniestro. Trias muestra cómo en la misma configuración de la obra de arte, la belleza no sólo no agota la obra, sino que remite siempre a un punto, al solicitar a la visión desde un lugar inesperado, más allá del velo, y donde tiene lugar la emergencia de lo siniestro.

Destaquemos que, en los desarrollos filosóficos de Trias, se ponen en el procedimiento términos aparentemente antitéticos, mostrando que las relaciones de conjunción y disyunción están implícitas, dado que hay entre ambos un hecho constitutivo de su discurso filosófico. De este modo, no se puede entender la belleza sin lo siniestro, y no se puede captar lo siniestro en su esencia sin los distintos modos de recubrimiento que tiene el envoltorio de lo bello.

Respuesta de Freud a Schelling

Teniendo en cuenta que Freud ha sido siempre especialmente discreto en su relación con la tradición filosófica se destaca en este texto cómo afronta y responde a la siguiente definición de Schelling de lo siniestro: «*Unheimlich* sería todo lo que debía haber quedado oculto, secreto, pero que se ha manifestado». Nos encontramos aquí con el carácter disruptivo, de emergencia súbita que puede tener lo siniestro. Se puede decir que todo el texto de Freud se deja leer como una elaboradísima respuesta a esa sentencia de Schelling, muchas veces evocada por diversos autores de la tradición filosófica pero nunca analizada en su estructura interna tal como Freud lo hace. En su respuesta a Schelling Freud se sumerge, casi como si fuera un Heidegger o un Derrida *avant la lettre*, en un enjambre de voces de la lengua alemana, extraídas de un florido acervo literario, al revisar poemas, textos, cuentos, y distintas declinaciones que le permiten dilucidar lo que para él va a ser el rasgo esencial de lo siniestro.

Lo siniestro para Freud no es el encuentro con algo nuevo, o con algo meramente extraño, ni siquiera con algo inclasificable. Por el contrario, la posesión de la condición «familiar» es la que posibilita lo siniestro, al aparecer únicamente en el corazón de la misma como un elemento tanto exterior como íntimo, siendo un fenómeno que en el interior de lo familiar lo desborda, lo interrumpe con su inquietante extrañeza. De tal manera que cuando lo siniestro se presenta, los semblantes de lo familiar comienzan a fracasar.

Freud y la estructura del inconsciente

Freud en *Lo siniestro* hace un trabajo exquisito con la filología y las etimologías de la palabra, nos muestra una extraña y muy peculiar prestidigitación lingüística, donde términos antónimos como familiar —*heim*— y siniestro —*unheim*— se terminan volviendo equivalentes. La declinación realizada por Freud de todas las significaciones del término siniestro le conduce a que vayan alcanzando un mismo sentido. De ese modo, Freud logra realizar, a través de su trabajo filológico, algo parecido a una cámara de ecos con las palabras, dando lugar a que éstas se articulen, en una resonancia afinada, con el cristal de la lengua, produciendo un efecto muy curioso y relevante: el antónimo se vuelve sinónimo. Con eso, nos enfrentamos a la problemática esencial, a saber, por un lado, hay que revelar lo que Schelling quiso decir con la enigmática sentencia: «todo lo que estaba destinado a permanecer escondido, aparece». Y, a la vez, por otro lado, si lo siniestro es una parte de lo familiar, entonces podríamos afirmar, ya en términos propiamente freudianos, que lo familiar es el lugar privilegiado donde lo siniestro retorna.

Freud, al no dedicarse a la filología, considera que el análisis lingüístico es insuficiente, a diferencia de otras filosofías hermenéuticas que encontrarían tal vez razones epistemológicas para dar explicaciones de este nuevo sentido. Para Freud es imprescindible poner en juego la estructura del inconsciente, ausente en Schelling. Porque en su análisis en la experiencia de lo *unheimliche* participan el retorno de lo reprimido, la compulsión a la repetición, y la angustia de castración. En su operación lógica se comienza a vislumbrar la forma de una articulación de estos tres conceptos. Dicha articulación permitirá saber en qué medida lo siniestro le permite a Freud, una vez más, desplegar y entender el funcionamiento de la estructura psíquica. Habitualmente en Freud lo que aparece siempre como un hecho anómalo se convierte al final en aquello que termina dando cuenta de la estructura del inconsciente. En este caso además hay que diferenciar entre el retorno de lo reprimido y la compulsión a la repetición, porque ambos mecanismos son los que están comprometidos en la emergencia de la experiencia de lo siniestro.

Mientras que el retorno de lo reprimido forma parte del orden simbólico, lo que Lacan denominará el orden del significante, que explica cómo esa cámara de ecos, dada entre esos términos, conlleva el desenlace de que un antónimo se vuelva un sinónimo. En cambio, la compulsión a la repetición está más bien vinculada a la pulsión, como explica Freud en su texto del año 1920, *Más allá del principio del placer*, en el cual se refiere incluso al destino del propio sujeto.

El retorno de lo reprimido no es algo que haya sucedido ni tampoco algo traumático que el sujeto reprimió, para luego retornar. Es decir, para Freud el retorno de lo reprimido no es nunca un acontecimiento ocurrido en el pasado, y que después vuelve, sino que la represión, al ser estructuralmente constitutiva del sujeto, organiza los distintos modos de leer el pasado, al hacer que la historia sea el lugar donde lo reprimido siempre pueda reaparecer. Por lo que nunca el orden simbólico es suficiente para poder representar en su totalidad a lo real (y eso por razones de estructura) para que siempre haya represión y retorno de lo reprimido, y por lo tanto provoque el efecto de lo siniestro.

La narración freudiana

Es importante señalar que si bien Freud, como estrategia narrativa, dice al comienzo del texto que él personalmente no tiene experiencias de lo siniestro, dando la correspondiente indicación estética, en la mitad del mismo nos encontramos con el relato de su experiencia célebre en un barrio de Roma, en el que estaban las «prostitutas pintarrajeadas» (según su propia expresión); allí se vio dando vueltas una y otra vez, queriendo encontrar una forma de salir del barrio, pero se da cuenta de algo importante: siempre está pasando por el mismo lugar. Sólo el genio de Freud es capaz de «hilar fino» ante semejante experiencia de angustia, al entender que siempre la compulsión y la repetición acompañan lo siniestro. En un trabajo posterior será cuando anude la compulsión a la repetición y el retorno de lo reprimido. Esta línea la continuará Lacan y explicará que, aunque las tres categorías antes mencionadas, son operaciones estructurales del inconsciente, una concierne a la vertiente del significante, y la otra a su dimensión pulsional.

También Freud refiriéndose a un relato de Hoffman, *El Arenero*, (donde se establece una analogía entre la pérdida de los ojos y la pérdida del órgano) introduce el concepto de «angustia de castración». Si bien Freud en este texto relaciona lo siniestro con la angustia de la castración, ya que todos los materiales de lo siniestro funcionan como metáfora de la castración, lo destacable es que la angustia de castración no es una amenaza real, porque entiende la castración en relación a aquellos objetos que se han sustraído a la representación imaginaria y simbólica en la constitución misma del sujeto. Pero esta sustracción no constituye anomalía alguna, al revelar más bien la incompletud estructural de cualquier relación, cuando lo que se pone en juego es la estructura del inconsciente. Porque el sujeto nunca puede representarse lo real, primordialmente lo real de su cuerpo, salvo siempre de un modo fallido. Lo que puede captar el sujeto de su cuerpo, a través de la imagen o de los significantes, no será nunca la totalidad de su cuerpo, pues ella está «en falta». De ese modo, tal vez se entienda que la angustia de castración, como experiencia inicial, ya es indicadora de que hay ciertos elementos que se sustraen a la lógica de la representación, y que al reaparecer siempre perforan el mundo del sujeto.

Heidegger

Heidegger, en su analítica existencial, descrita en *Ser y tiempo*, también alude a *unheilheim*, y vale la pena demorase en los posibles alcances de una vinculación entre lo expuesto por Freud y por Heidegger al respecto. Precisamente Lacan considera que *Ser y tiempo* es junto con la obra de Freud una de las mayores subversiones del sujeto cartesiano y del sujeto trascendental kantiano. Los dos grandes textos que Lacan recoge para efectuar –lo que él denomina la subversión del sujeto cartesiano– tienen como referencia clave a Freud y Heidegger, que de manera subrepticia y sutil dialogan entre sí en muchas ocasiones a lo largo de la enseñanza de Lacan.

En *Ser y tiempo*, Heidegger trata de pensar la vida y somete a crítica a casi todos los filósofos por no haber pensado *la vida fáctica* de cada uno de los mortales en su singularidad. La analítica de Heidegger, como es sabido, pasa por la muerte, y no por la sexualidad. Sin embargo, se puede entender, en términos lacanianos, la castración en términos del «ser para la muerte» y dar el nombre de «objeto pulsional», y el vacío que la pulsión recorre hacia «la nada» heideggeriana. De tal manera que el pensador de Friburgo necesita utilizar palabras como *encubrimiento, evitación* u *ocultamiento*, que a nuestro modo de ver no llegan a dar cuenta sobre qué tipo de operaciones se sostienen. Cuando se lee *Ser y tiempo*, desde el psicoanálisis, es muy frecuente tener la sensación de que Heidegger realiza un insospechado análisis del inconsciente, porque el sujeto encubre, no quiere saber nada, oculta, trata de hacer todo lo posible para desconocer su falta de fundamento y, sin embargo, nunca captamos cuál sería la operación estructural que emplaza y causa ese efecto de evitación; tampoco apreciamos cuáles serían las razones por las que el sujeto no quiere saber nada de todo eso. En esta cuestión Freud puede leerse como una respuesta a Heidegger. Y es precisamente lo que Lacan entendió.

En Heidegger el sujeto vive en la *impropiedad*, «entre las habladurías», entre que se dice esto y se dice aquello, lo que Heidegger llama «el uno de las habladurías». En ese sentido se entiende que hay un origen del *dasein, ahí del ser*, o *ser ahí*, impropio o inauténtico según los traductores. Resulta que «ahí» es cuando uno se capta a sí mismo como arrojado al mundo, sin fundamento, sin nada que lo justifique, y entonces es cuando empieza a hacer la experiencia de la angustia. En esta analítica ontológica de la angustia, Heidegger ve en «el estar arrojado» un momento inevitable, al serlo de lo *unheimlich*, que él mismo traduce como «*no estar en casa*» o «*lo inhóspito*», según los traductores al español. Entendemos que se da de forma evidente una nueva des-familiarización del *dasein*. Es decir el *ser ahí* vivía entre habladurías, maquinaciones, rumores, y ahí estaba en su impropiedad. El ser mortal empieza a entender qué es lo que está en juego para su propia vida, precisamente cuando se encuentra con su propio abismo, su falta de fundamento. Y uno de los nombres de ese abismo, su no estar en casa, nos lleva a otros que tampoco están en casa, como son los refugiados, emigrantes, desterrados y exiliados, pero que su no estar es radicalmente distinto al «no estar en casa» de la existencia. Ellos salen de una fábrica de desarraigo que anula la posibilidad de constituir el no estar en casa como experiencia singular y originaria. A esos no se les concede la experiencia de no estar en casa, esta experiencia sólo la puede experimentar aquel que tenga un lugar. Ahora, cien años después, podemos pensar a partir de Heidegger, que ya vio como una de las consecuencias de la técnica era el desarraigo, el no estar en casa. Y en estos tiempos es como si la técnica se hubiera ya extendido por todo el planeta, produciendo efectos devastadores para cualquier ser humano, como un desarraigo generalizado que destruye la singularidad, entre otros efectos catastróficos. De ahí que se pueda pensar que en nuestro tiempo presente Heidegger vería el planeta como un mundo habitado por zombis desarraigados, porque ya nadie está en condiciones de realizar la experiencia existencial de la angustia. Porque la globalización del capitalismo ha producido, digamos, una especie de desarraigo masivo, un colapso que nos atrapa y nos hace perder la condición singular de la experiencia sin fundamento. Por esta pendiente es como si lo siniestro se hubiera adueñado del mundo y hubiera perdido su oportunidad de pasaje a otra instancia.

Aclaremos la paradójica cuestión, así como el que está en un campo de concentración no puede hacer la experiencia del *ser para la muerte*, los que están expulsados del mundo tampoco pueden hacer la experiencia del no estar en casa, descrita en la analítica existencial heideggeriana. Porque hay que tener un mundo para poder realizar la experiencia de «no estar en casa». Nos parece que el estado inhóspito de *no estar en casa*, de, *unheimlich*, al que Heidegger se refiere, es más bien la condición que da entrada o acceso para tener una vida propia o autentica. Conviene saber que para Heidegger lo siniestro no es algo negativo, pues finalmente resulta ser la condición de posibilidad para que entonces el *dasein* se encuentre, en el momento en que ya está desfondado, cuando ya nada sólido lo sostiene, y se descubra en la posibilidad de su apuesta y resolución.

Por lo dicho, para Heidegger lo siniestro constituye un pasaje inevitable del *dasein*, lo que parece, en principio, muy distinto a la posición de Freud, según la cual lo siniestro se traduce como angustia clínica y no como destino o aventura existencial. Sin embargo, pensamos en otra posible lectura del texto freudiano, entendiendo que si la experiencia de lo siniestro depende de un retorno de lo reprimido, entonces se da un levantamiento de la represión, y por lo mismo la apertura a las posibilidades que ofrece el inconsciente, al abrirse a nuevos sentidos que la fijación sintomática y sus compulsiones mantenían clausurados.

Materiales de lo siniestro

En el texto, *Lo siniestro*, de 1919, al que nos venimos refiriendo, Freud presenta materiales de lo siniestro: piezas ortopédicas, autómatas, muñecas inanimadas que de repente cobran vida. Hay que partir de la base de que todos estos materiales de lo siniestro ponen en cuestión la unidad del yo y expresan la división del sujeto, muestran al sujeto escindido en toda su radicalidad, incluso la figura del doble, que podría haber sido simpática (un otro parecido a mí que me encante desde un punto de vista narcisista) se transforma en una intrusión, al ocupar «otro alguien» mi lugar. También la cuestión del doble es uno de los materiales clave de lo siniestro, porque el doble en el que no me reconozco, por ejemplo, cuando estoy en el espejo, el extrañamiento se produce porque no me reconozco en el otro del espejo, eso es justamente lo que consideramos como el lugar donde el niño constituye la base real de su narcisismo.

Desde una perspectiva lacaniana se puede pensar en aquello que designamos como *esquizia*, neologismo inventado por Lacan que alude a la división o la fractura entre la visión y la mirada. Es decir, hay que recordar que, para Lacan, mientras la visión se rige por la óptica geometral, en cambio la mirada procede del Otro, dándose una ruptura, sin continuidad entre visión y mirada. De tal manera que podríamos decir que esos materiales de lo siniestro se constituyen como tales porque «nos miran»; este aspecto concreto no está tratado en el texto de Freud pero sí afirmamos que tanto en la figura del doble, como en las piezas ortopédicas y como en el de los ojos de la muñeca, lo que realmente está en juego es muy relevante: lo que vemos no coincide con lo que nos mira. Los materiales de lo siniestro adquieren su valor libidinal y lo condensan en la medida en que se nos presentan como objetos que albergan la mirada. Lo siniestro no es sólo aquello que estando oculto se revela, sino que además nos mira, y nos parece que es ahí donde verdaderamente se realiza el efecto cumplido de lo siniestro. En esta operación es donde se revela que lo siniestro realiza una perforación del velo que recubre lo real, entendido en términos lacanianos.

En su momento, los postfreudianos imputaron a Freud que las teorías de la pulsión de muerte, de la compulsión a la repetición y la del eterno retorno de lo mismo, eran una influencia de la guerra. Le quisieron adjudicar a Freud un pesimismo que procedería del conflicto bélico. Y, en cambio, fue al revés. Freud presenta los elementos teóricos necesarios para que pueda ser pensada la guerra.

De tal forma que no se dio en él una influencia afectiva de la guerra sino que, al contrario, decidió pensar hasta las últimas consecuencias qué es la guerra. De hecho, Freud escribe un texto al respecto, titulado *El por qué la guerra* (1932).

J. A.

Texto establecido por: *María Victoria Gimbel*

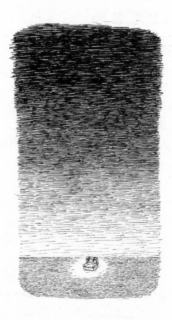

Al límite de lo posible

Alberto Ruiz de Samaniego

GLOUCESTER: — ¡Ah, permitid que os bese la *mano*!
LEAR: — Deja que antes la limpie; huele a mortalidad.

W. SHAKESPEARE, *El rey Lear*.

En su libro sobre Nietzsche, Heidegger, inesperadamente, realiza una defensa de Kant frente al pensador del *Zaratustra*. La cuestión se dirime en torno a la idea, tan controvertida, del desinterés estético. La noción *kantiana* del placer desinteresado que Nietzsche atacó, como es sabido, violentamente. A juicio de Heidegger, la lectura de Nietzsche es equivocada, al confundir desinterés con indiferencia y, aún más, al no comprender la esencia del interés. El interés, sostiene Heidegger, consiste en el deseo de apropiación que obliga a tomar y representar siempre el objeto de interés «en vistas de otra cosa». Nietzsche, a su juicio, no comprende que, por el contrario, el desinterés consiste en el *dejar-ser* y *dejar advenir* el objeto. Se trataría, entonces, de dejar al objeto producirse a partir de sí mismo, puramente y en tanto que sí mismo, en su rango y dignidad propias. A este comportamiento Kant lo llama el «libre favor» (*die freie Gunst*). Por ese «libre favor», dice Heidegger:

> Tenemos que dejar que lo que nos sale al encuentro llegue ante nosotros puramente como él mismo, en su propio rango y dignidad. No debemos considerarlo de antemano en vista de otra cosa, de nuestras finalidades y propósitos.

Si lo entendemos bien, entonces no es que el desinterés aleje o suma al objeto en la indiferencia, como pensaba Nietzsche, sino que más bien abriría la posibilidad de su contrario: el hecho de poder relacionarse uno *esencialmente* con él. Que éste no es un tema baladí para Heidegger, es evidente; en la medida en que en él tocamos el centro mismo de su concepción de la creación artística, tal como acredita el siguiente fragmento de su conocido texto en torno a «El origen de la obra de arte». Dice así:

> En la obra lo extraordinario es precisamente que *sea* como tal. Ese acontecimiento que consiste en que la obra haya sido creada no se limita a seguir vibrando en la obra, sino que es el mismo acontecimiento [*Ereignis*] de que la obra sea como tal obra el que proyecta a ésta ante sí misma y la mantiene proyectada en torno a sí. [...] Cuanto más solitaria se mantiene la obra dentro de sí, fijada en la figura, cuanto más puramente parece cortar todos los vínculos con los hombres, tanto más fácilmente sale a lo abierto ese impulso –que hace destacar a la obra– de que dicha obra *sea*, tanto más esencialmente emerge lo des-familiarizante [*das Ungeheuere*] y desaparece lo que hasta ahora parecía familiar.

Para Heidegger, lo bello sería esta proyección, la evidencia o la presencia de este impulso que hace que algo sea, que sea plenamente. Pero al situarnos en el radio donde la obra emerge, habrán de transformarse nuestras relaciones habituales con el mundo. De hecho, como es sabido, Heidegger cree que es en esa disposición en la que uno se volvería capaz de «contener el hacer y apreciar, el conocer y contemplar corrientes, a fin de demorarnos en la verdad que acontece en la obra». Así, pues, si seguimos esta premisa, lo propio del comportamiento estético sería el *presentar* o *hacer presente*. Pero un hacer presente esencial, absoluto, diríamos. Aunque, y esto es muy importante, al tiempo también el presentar la obra, lo hace a un existente que *se abre* en ella y con ella. Y que, por tanto, él también *es presentado*, es *hecho presente* de un modo esencial y absoluto. Por decir así, él también *adviene*. De este modo, cada obra nos pone en presencia de lo único. Un único que, efectivamente, no sigue ningún patrón previo, no es más que signo de sí mismo, no puede tampoco repetirse. El arte, decía Paul Klee, «no ofrece ejemplo».

Todo esto nos conduce a propuestas algo inquietantes. Por ejemplo: nunca hay, no puede haber, experiencia adquirida, ni en el artista ni en el frecuentador de obras, en la medida en que, digámoslo con palabras *derridianas*, la obra es cada vez única, principio y fin de un mundo al tiempo. Ella se da en el modo de un esclarecimiento, un presentarse de la presencia misma como verdad *insigne*. Por insigne queremos aludir, por ejemplo, a un extremo hasta entonces no conocido ni mensurable de ninguna forma. No signado: insigne. Allí está, la obra: fijada en la figura, absoluta, absuelta, cortados los hilos o los vínculos con los hombres, con todo aquello con lo que los hombres tratan de hacerla familiar, de domesticarla o dominarla.

La belleza de lo terrible

Por otro lado, que la obra sea tan sólo signo de sí misma, significa, también, que la obra de arte ya no es, como quería Hegel, la realización sensible de una idea. Sino donación, presencia haciéndose, acontecimiento: *Ereignis*. Ella es, efectivamente, el *abrirse*: se abre en sí misma y a sí misma. Pues lo abierto no es más que el lugar del sentido, y, desde este punto de vista, el sentido amenaza con ser una transparencia infinita. Hasta dónde conduzca, a qué emergencia de sentido –o del sentido– conduzca esto, es lo problemático; en la medida en que esta transparencia bien puede ser el derramarse mismo del sentido en una *diferencia/diferancia* inarrestable. Como si, de nuevo con Derrida, comprobásemos que en este advenimiento lo que más bien se da es un retiro infinito del sentido.

La obra realiza, pues, este encuentro entre ambos dos; entre las dos instancias –sujeto y objeto–, en este sentido, siempre imprevistos, siempre singulares, únicos. De manera que nada se puede decidir de antemano en relación con este ejercicio –que ha de ser infinito– de apropiación de un sentido; ahí donde se trata del movimiento de un pensamiento y de los gestos –en buena medida secretos y desconocidos hasta para uno mismo– de su decisión. Por ello, el pensamiento en su decisión no es el que emprende fundar el ser y fundarse él mismo con ello, sino más bien y solamente la decisión que aventura –en que se aventura– y que afirma la existencia *sobre su propia ausencia de fondo*. Bataille, lector de Heidegger, lo dijo a su manera: «La fiesta infinita de las obras de arte está ahí para decirnos que un triunfo [...] es prometido a quien salte en la irresolución del instante».

Sólo que ese salto no puede ser más que angustioso, pues lo que allí se da emerge falto de toda familiaridad, harto extraño y hasta retráctil para con nosotros. De hecho, en *Ser y Tiempo* esta inquietante conclusión llevaba al *Dasein* a experimentar *la clara noche de la angustia*. En esa noche, todo, incluido el hombre mismo, antes que nada el hombre mismo, es... *nada*. Nada como absoluto sin-sentido, criatura o ente carente de todo fundamento. Es entonces cuando el *Dasein* se encuentra o experimenta el carácter siniestro (*Unheimlichkeit*), esto es: la inhospitalidad del mundo en cuanto tal. Allí donde el sentido, en cuanto existe, ya no basta, Y lo que reina es, pues, de un orden insensato, no pensable. Y entonces también el «ser-en-el-mundo» se desvela como un «no estar en casa» (*Unzuhause*), pues se trataría de (un) ser «en la nada del mundo».

Piensa Heidegger que compete al artista sacar a la luz ese resto irreductible del mundo. Lo que se niega a salir a la luz. Cabe, pues, al arte poner de relieve ese rechazo, esa resistencia hosca de lo «sin hogar», lo inhóspito o siniestro: *das Unheimliche*. Y, como sabemos, es por influencia de Hölderlin que Heidegger llama a ese resto *Tierra*. De modo que, cuando *Tierra* comparece, todo lo habitual desaparece. Lo ente se retira, por así decir, y entonces surge, inefable, el hecho desnudo de ser. Esto es lo que, por ejemplo, sintió el personaje de Lord Chandos de Hofmannsthal, en su conocida carta a Francis Bacon. Se trata de un joven prometedor al que el mundo, y el lenguaje, hasta ahora trataron con prodigalidad. Pero, de repente, pierde la capacidad de pensar o hablar coherentemente sobre cualquier cosa. Toda declaración se descompone en la boca como «hongos podridos». Las palabras flotan ahora y corren, como ojos, fijos sobre él, son «remolinos que dan vértigo al mirar, giran irresistiblemente, van a parar al vacío». Incluso los objetos más banales, una regadera, un perro perezoso bajo el sol, enfrentan al narrador con la presencia todopoderosa. Tan cargada, tan saturada de existencialidad que se convierte, al tiempo, en promesa de revelación de algo terrible. Algo insondable, de tal proximidad con el abismo que no puede haber ninguna repuesta posible. Todo el mundo, perdido el asidero del lenguaje, aplasta entonces su desconcertada psique y le produce, al mismo tiempo, terror y una suerte de conmoción extática. En parecidos términos, también Nietzsche, en *El nacimiento de la tragedia*, hizo alusión al «reflejo a-conceptual y a-figurativo del dolor primordial», como si el acceso al «abismo del ser» vetase o estuviese más allá de toda posibilidad de la facultad representativa (por ello habría de ser la música lo que más se acercaría a ese corazón de las tinieblas). En todo caso, lo inhabitual, lo inquietante, inhóspito e inhospitalario (tal es, en realidad, lo que precisa el término en alemán *Un-heim-liche*: lo que ha perdido su *heim*, su hogar o su ámbito natal y que nuestra lengua, con audacia, ha traducido como *siniestro*) es traído a turbadora e incierta comparecencia, pues no se puede, naturalmente, hablar aquí en ningún modo de representación.

Así, pues, en ambos casos, obra y sujeto, sin condiciones previas. Por eso el acontecimiento es insigne. Lo que cuenta aquí, entonces, es lo que no se presta a la univocidad, ni por lo demás a una plurivocidad, sino que hace vacilar la misma carga de sentido y la pone permanentemente en crisis, en cuestión, en desequilibrio. No es casual que Heidegger, hablando de la puesta en obra de la verdad por medio del arte, nombrase algo como «el sacrificio esencial», en tanto que uno de los modos de esta puesta en obra que se concentra en el arte. En otro lugar de ese mismo texto sobre el origen de la obra de arte, había juzgado necesario el contar «los dones y el sacrificio» en el seno del ente abierto al esclarecimiento del ser.

Es esta dimensión sacrificial la que relaciona *lo siniestro*, lo desfamiliarizado de Heidegger, con la *inquietante extrañeza* de lo siniestro según Freud, a partir de Schelling: aquello que, habiendo sido lo más familiar, lo verdaderamente originario o natal, pero se ha olvidado o reprimido, ahora retorna, tras la represión precisamente, en su modalidad más perturbadora, incluso alarmante, amenazadora. Conviene aquí también recordar cómo el *sublime kantiano*, una tensión ultraestilística que deriva en una crítica de la existencia, se producía en un «sacrificio» de la imaginación, que «se abisma en ella misma, y al hacerlo es sumergida en una satisfacción conmovedora». Y cómo el programa de la poesía moderna está, por decir así, planteado en una nota de Novalis para el *Enrique de Ofterdingen*: «Disolución de un poeta en su canto –él será sacrificado en los pueblos salvajes». Donde vemos que lo sublime mismo es la ofrenda, incluso en tanto que destino, del arte de nuestro tiempo, y que, en la medida en que esta relación traza una afección o un contacto al límite o en el límite de toda relación o signo, puede conducir –como a veces sucedió con la generación romántica que surgió de la lectura de Kant– al enmudecimiento, la parálisis, la locura o el silencio, el sacrificio en lo desmesurado o en lo salvaje.

Aquí la imaginación, efectivamente, se ha sacrificado en este ofrecerse del sujeto al límite de lo posible. La desfamiliaridad o la desapropiación han llegado al punto –siniestro– en que toda forma o signo es destruido por el contenido mismo que tratan de expresar. De suerte que la expresión del contenido significa al mismo tiempo la desaparición de la expresión. Lo sublime ha desembocado, efectivamente, en *lo siniestro*, tal como lo estudiara con lucidez Eugenio Trias: la destrucción del tipo, del idealismo simbólico-formal de Grecia, de la forma cerrada, autocontenida y estable, de la belleza en manos de una dinámica informe que arrasa todo en su venida; para mostrar, al cabo, el hundimiento de una subjetividad tan vehemente como problemática. Una voluntad de poder que pone en cuestión su mundo, comenzado por su identidad misma; suspendiendo su fundamento de habitabilidad para afirmar una suerte de dolorosa y aciaga autonomía de su ser sobre el orden de las cosas. Nietzsche hablará, en parecidos términos, del éxtasis y el espanto delicioso que se sufre al romper con el principio de individuación, para llegar a despertar «aquellas emociones dionisiacas en cuya intensificación lo subjetivo desaparece hasta llegar al completo olvido de sí» (*El nacimiento de la tragedia*). Pues, como ya avisaran los versos tan conocidos de Rilke, la belleza no es más que el comienzo de lo terrible, justo lo que nosotros todavía podemos soportar. Para concluir con esto, digámoslo con Bataille:

La poesía [...] es el sacrificio en el que las palabras son víctimas
[...]. Nosotros no podemos [...] privarnos de las relaciones efica-
ces que introducen las palabras entre los hombres y las cosas.
Pero las arrancamos a esas relaciones en un delirio.

Es por eso que en esta articulación que la obra de arte instaura
podemos cifrar también el *absoluto soberano* de toda relación. Por
ejemplo, la de sujeto a objeto. Aquí se trata de una correspondencia en la que ninguno de los dos participantes existe anteriormente.
Ninguno está *dado de antemano*, previsto, predeterminado: signado.
El sujeto y el objeto se *desfamiliarizan* totalmente, portentosamente,
en esa relación inédita. Mediación también cuya temporalidad es
incierta y desde luego no asignable, pero que, en contrapartida, si
queremos, es de intensidad máxima. Relación *cara a cara*, podríamos decir; en salvaje, lacerante plenitud. Donde ambos se dan y se
abren total y crudamente. Ahora, aquí, ahí, el sujeto ha de despo-
jarse de cualquier y toda intencionalidad, de toda intención de
subjetividad. Su comportamiento ha de limitarse, si ello es posible,
a ser o a tratar de ser en la disposición, en el espaciamiento y la
instalación que el objeto, la obra, dispone. Y la obra es, por su
parte, ha de ser, en su sentido estricto, objeto, pleno: presencia,
hecho presente en su esplendor. Por ello no puede haber juicio,
sino más bien un encuentro. La obra pone a dos seres cara a cara,
y solos. Es lo que el mito ha transmitido a través de la temible mirada de la Gorgona.

El arte como patética de lo sublime

Es en ese sentido, también, que la relación que instala la obra puede ser definida, de nuevo, como de carácter *siniestro*: a través de
ella yo me pierdo para el mundo, yo dejo de ser yo, ya no tengo
marcas ni territorios. Como en un acto encantatorio he sido privado

de suelo natal, de *heim*, de casa o familia. He entrado en el dominio de su alteridad. He sido arrancado de mi saber y mi poder. De la misma manera que, podríamos concluir, la obra ha usado, ha utilizado, se ha servido del saber y del poder instrumental, técnico, del artista; para elevarlo por encima de sí mismo hacia este su inquietante recorrido de apertura.

En todo caso, esta relación también exige al receptor *mantenerse abierto* –en la demora, en el demorarse– en esa apertura. Y esta decisión implica, consiste en estar en íntima composición con la pasividad y con el abandono de la apertura. Todo ello en la medida en que la decisión ha de borrarse en provecho de *Ereignis*, del advenimiento. De ello sólo podemos concluir lo siguiente: la experiencia estética se da, está, en suma, sin estabilidad, sin consistencia y sin seguridad. La fascinación que, quizás desde el Romanticismo, ha impulsado *lo siniestro* radica en esta pasión –jovialmente acongojada– por sentir ese límite de (auto)aniquilación. Es, en palabras de Nietzsche, la ambigua «felicidad en el espíritu del terror». Pisar a fondo, por decir así, el umbral que permite al hombre experimentar aquello que lo pone en peligro. Esto es, una intensificación brutal de la vida justamente por ponerse al borde de sí misma. Allí, la percepción no logra mantener su dominio, y de ese desastre de la *aisthesis* se da ocasión a la emoción estética más intensa. Tal es, por ejemplo, a lo que aspiran algunos personajes de Poe: la búsqueda de un sentimiento estético límite: insigne; la experimentación del espasmo que exceda la sensibilidad y la encante hasta perderse. No demasiado lejos, por cierto, de lo que Lyotard le concede al comentario del espectador, paralizado de terror ante el «poder fulminante» de la obra, donde permanece, como un resto, su opacidad y resistencia. «Comentar –ha escrito– no es debatir ni «orientarse». Más bien, dar rienda suelta a ese resto y aceptar perderse en él: otra vez el terror» (*Moralidades posmodernas*).

Lo siniestro es la deriva más intensa de una poética, la de lo sublime, ya en sí misma configurada no tanto como una poética, precisamente, sino más bien como una *patética de lo sublime.* Una patética que indaga o procura el poder de afectar la sensibilidad más allá de lo que ella misma puede asumir o sentir. Un *pathos*, pues, sin forma concreta; la eterna búsqueda de la experimentación de lo inaudito, lo imposible, lo indeterminado. Una estética esencialmente material, también, y por tanto, que persigue sin descanso la violencia de su estado, ese guiño continuo con el desastre que, al tiempo, transita continuamente, como decimos, la fenomenología de la espera. *Lo siniestro* se mueve en una especie de ontología negativa o de aporía de una presencia que ha de venir sugerida o auspiciada por la materia misma en suspensión y en bruto. Buena parte del arte moderno –acaso desde el Romanticismo– vivió de esa espera: es el lugar mismo de la espera. Lyotard ha sugerido, en este sentido, cómo la modernidad ha autorizado, ha dado autoridad (ha generado un gusto y un público) que viven de esta suspensión, de este estar suspensos en el umbral de lo posible. Que esperan, en definitiva, la espera; se esperan (o des-esperan) en esa alerta ante o frente a la amenaza o el exceso de sensación; una venida o un advenimiento que nos vuelva alucinados, locos de terror, y nos enmudezca de éxtasis pavoroso.

Lyotard termina allí donde empezó Nietzsche, en la facultad curativa del arte; que es, tal vez, lo único capaz de reconvertir lo espantoso o absurdo de la existencia. La afección, en ambos, es –en palabras de Lyotard– «la amenaza de estar abandonado y perdido»; o también, de forma algo melodramática: «el sonido que hace la muerte en el cuerpo vivo». Un poco como el niño que cruza silbando el corredor oscuro de la casa para tratar de acallar sus miedos irracionales, sin percatarse de que es la propia presencia del sonido en donde resuena y se le da cuerpo, presencia, al fantasma y el propio terror atávico. El arte, así, acalla transitoriamente ese estertor angustioso, insoportable, al tiempo que le da voz, o le presta su elemento; tanto que pareciera que sólo (por) el arte (el hombre) lo soporta.

Pero es sin duda a Burke a quien corresponde por derecho propio esa atribución al objeto estético de la capacidad de suturar temporalmente la herida del existente. Al mediar por la conservación del individuo justo en el momento en que se manifiesta con mayor violencia la emoción mortal, que es, a juicio de Burke, «la emoción más fuerte que la mente es capaz de sentir». El pensador inglés apunta sin ambages, directamente, a la muerte como dispositivo responsable de la trascendencia de la obra (y de su facultad de expiación de lo existente). La muerte, «el rey de los terrores», que tiene por emisario al dolor. Para que este sentimiento de terror que provoca en nosotros la consciencia de estar inmersos en la mortalidad, condenados a ella, para que, al cabo, la muerte se vuelva soportable, es necesario que la amenaza misma de muerte que la obra convoca y en que está su origen, sea suspendida, mantenida a distancia.

Desaparecidos los dioses, desacreditada la religión, en el nacimiento de la modernidad Burke es plenamente consciente del rasgo que va a caracterizar al arte (y a la recién aparecida disciplina estética), y que, asimismo, va a fundar una nueva forma de creación y de receptividad de la obra artística: la suplantación de la religión, sus metas y valores, por la más intensa experiencia estética. Que, desde entonces, habrá de tener por objetivo la expiación de los terrores más profundos del ser humano como mortal, accediendo para ello al límite prohibido de lo posible. Esto es: dar, en definitiva, testimonio de lo inexpresable, lo que adviene o se presenta salvajemente y ya sin ninguna mediación formal, sin esa elaboración o sutura que denominamos belleza. Aunque para ello, o precisamente por ello, el arte esté indisociablemente unido a la angustia y a una especie de goce desapropiado que, en la *desfami-*

liaridad radical, consideramos siniestro, porque ha traspasado todo dominio simbólico o metafórico y nos sitúa ante una realidad inaudita que, como avisaba Rilke, no podemos soportar. Entonces, si la condición originaria de toda belleza es lo siniestro, desde Burke –y Kant– en adelante, ya sabemos que también la condición originaria del sujeto son los temores y deseos subconscientes que, cuando se revelan, devienen, más que inquietantes, funestos. Era todo eso lo que debía permanecer oculto, secreto, todo lo que, no obstante, se ha revelado. Pues *lo siniestro*, en palabras de Freud, es «aquella suerte de sensación de espanto que se adhiere a las cosas conocidas y familiares desde tiempo atrás».

A. R. de S.

Lo macabro

Ana Carrasco-Conde

Estas manos que ahora escriben y las suyas que sujetarán la revista impresa, la piel que cubre sus huesos y los ojos que recorren con su paso cada línea de este texto, quizá el movimiento imperceptible de sus labios cuando en voz baja musita las palabras que está leyendo, todo eso, no es en realidad más que materia orgánica: carne, cartílago, sangre y huesos. Lo más presente que, por evidente, deviene tangible pero invisible para nuestros ojos, también orgánicos. No vemos, o no queremos hacerlo, que nuestra piel recubre el sarcófago de carne que es en realidad nuestro cuerpo, cuya realidad material sólo se nos impone cuando nos encontramos limitados, es decir, cuando en el límite sentimos el dolor de nuestra corporalidad o el hedor que desprende nuestro cuerpo. Rechazamos la profundidad carnosa y parénquima de nuestra corporalidad orgánica y nos quedamos en el paisaje externo de las curvas de nuestro cuerpo. Qué macabro es todo esto. Pero si es macabro no es sólo porque sea siniestro, es decir, porque, por se-

guir a Freud, se revele algo en lo familiar que deviene extraño (el
carácter mortal, sujeto al deterioro, de la materialidad de su cuerpo) o porque sea grotesco, repugnante hasta cierto punto, extrava-
gante y de mal gusto. Es macabro porque habla de una realidad: la
de la muerte inmanente que nos acompaña no como entidad abstracta, sino como corporalidad presente. Y ante ella el gesto no es
la risa ante el horror, como en la categoría de lo grotesco, sino la
mueca de abyección ante la caducidad de un cuerpo del que no
podemos separarnos. Vivo y muero en mi cuerpo. Nos encaramos
a nuestra muerte en su estado más crudo: la de la descomposición
de nuestro cuerpo, la del conocimiento renegado de que no sólo
somos organismos, sino, precisamente por ser tales, susceptibles
de la putrefacción de nuestro material orgánico. Lo macabro es lo
renegado de nosotros mismos que vemos en lo otro y que desencadena abyección una vez que, sin esperarlo, nos desencaja de nuestros parámetros de cotidiana familiaridad. Y esto es el punto que lo
relaciona con lo siniestro. No todo lo siniestro es macabro, aunque
lo macabro sí es muchas veces siniestro precisamente porque lo
familiar (*heimlich*), nuestro cuerpo, deviene extraño e incontrola-
ble. Con todo, como veremos, lo macabro no coincide del todo con
lo siniestro, aunque tenga que ver, en cierta manera, con lo que
debiendo permanecer oculto se manifiesta y convierte lo familiar
en siniestro (*unheimlich*). En este texto me propongo profundi-
zar en la noción de «lo macabro» utilizando la metodología que el
mismo Freud emplea en su ensayo sobre *Lo siniestro* para rastrear
qué indicios de ese sentimiento encontramos en el curso del análisis de *das Unheimlich*. Ciertamente si para Freud lo siniestro ha de
ser analizado porque da cuenta de una dimensión del ser humano
que dice algo de lo que éste esconde, lo macabro del mismo modo
es sintomático del modo del ser humano para enfrentarse a las
condiciones que hacen de él un ser mortal, finito y vulnerable no
sólo porque sea susceptible de recibir una herida (*vulnus*) sino por-

que su carne se abre con ella. Así, en lo macabro, no se trata tan sólo como en «lo siniestro» de

algo que siempre fue familiar a la vida psíquica y que sólo se tornó extraño mediante el proceso de su represión. Y este víncu-lo con la represión nos ilumina la definición de Schelling, según la cual lo siniestro sería algo que, debiendo haber quedado ocul-to, se ha manifestado,

sino de lo que no quiere verse de la vida física y que siempre fue familiar, que se trató de olvidar y que, por una inversión de los principios, por decirlo también con Schelling, se impone como una desagradable certeza, que sin embargo sólo se convierte en maca-bra cuando se produce un desplazamiento que desencaja el con-texto de lo normalizado o habitual.

I

Relacionado con cadáveres o con los despojos putrefactos de aque-llos cuerpos que han sido tocados por la muerte, lo macabro supo-ne una vuelta de tuerca de lo siniestro basado en lo que es más propio y familiar, que es el propio cuerpo, el cual queda literalmen-te invertido en su uso al quedar expuesto no como organismo vivo, sino como potencial o efectivo cadáver. Frente a las funciones vita-les, se imponen en lo macabro los usos mortales de dichos despojos entre los que se incluye un juego con la muerte que no puede evitar mirarse. Lo macabro supone traer al mundo de los vivos la radical realidad de nuestra muerte bajo la forma de un tratamiento de lo que somos siempre: sangre, carne y vísceras. Como ya dijera Aris-tóteles en la *Poética*: la contemplación del horror y de los cadáveres (*nekron*) con cierto deleite (*chaírousi*) o, dicho con Kant, con displa-cer gozoso, se debe a que, por un breve periodo de tiempo, vemos algo que velado usualmente, nos proporciona un conocimiento y un aprendizaje. Quizá de lo macabro no obtenemos un aprendizaje útil, pero sí adquirimos el acceso a un conocimiento en el que, en una atmósfera siniestra, nos proporciona una forma de atracción y repulsión al mismo tiempo hacia nosotros mismos: me atrae porque dice algo de mí, me repugna porque es también mío. Bajo mi forma late lo informe.

Todos moriremos y dejaremos tras nosotros un cadáver. La cuestión es qué se hace con esos restos mortales: si amortajarlos para darles las exequias que todo descanso eterno requiere tal y como culturalmente entendemos que es lo «correcto» y «ordenado», o brindarles un uso que, en principio, no debiera darse, como si lo macabro implicara lo siniestro aplicado al propio cuerpo: lo macabro no es encontrarse con un cadáver en un féretro, lo macabro es, como en el cuento de Chéjov, que se encuentre en el salón de mi casa (y sin que lo espere). Y así, por recordar la definición que Freud ofrece de lo siniestro en su texto de 1919 según la cual «lo *Unheimlich* sería todo lo que debía haber quedado oculto, secreto, pero que se ha manifestado», lo macabro incidiría en que eso oculto y secreto que se manifiesta es nuestra propia muerte, pero no como entidad abstracta asociada al corte que saja toda vida, sino como resto físico que deja atrás lo que somos ya desde el principio: no sólo un cuerpo, sino carnosidad, es decir, carne y materia orgánica que está destinada a devenir putrefacta. Pútrido: descompuesto. Lo macabro no es lo que debiera estar oculto, sino lo que debiera estar siempre manifiesto y asumido, que sabemos, que conocemos, pero en lo que no queremos pensar. Esa es la principal diferencia.

Ciertamente ni en el texto *Lo siniestro* ni en ningún otro Freud habla de lo macabro, aunque los planteamientos de Freud nos ayudarán a entender qué puede ser lo macabro precisamente porque si lo siniestro es «lo familiar que deviene extraño» y en cierta medida fuera del control del sujeto, nada más siniestro y, al mismo tiempo, macabro, que el conocimiento de que el cuerpo que somos es también y, al mismo tiempo, el cadáver de un muerto sobre el que carecemos de control y de dominio. En realidad el cuerpo nos tiene. Podemos llorar o resistirnos, podemos permanecer inmóviles o aceptar la muerte como en las representaciones medievales de la danza macabra o danza de la muerte, pero la muerte no sólo nos llega a todos, sino que nos acompaña con cada célula que dejamos o que ganamos por el camino. Quizá de ahí el origen etimológico de la palabra *macabro* que, según Corominas en su *Diccionario etimológico de la lengua castellana*, se asocia con la «danza de la muerte» o *danse macabre* cuya acta de nacimiento al parecer se remonta al siglo XIV para dar origen a una categoría estética y literaria pero, desde luego, no filosófica (o psicológica) en principio. Saber eso, ver y jugar con lo más físico de nuestra muerte, verlo y sacarlo de quicio cambiando el orden de las cosas es lo que podemos denominar macabro. Macabro sería, por ejemplo, practicar la taxidermia con un ser querido y dejarlo sentado, como adorno, en su sofá favorito. Macabro sería, como en aquel bolero cantado por Julio Jaramillo, *Bodas negras*, desenterrar un cadáver y desposarse con él. Macabro sería regocijarse con el modo de destripar a un ser humano para que, por ejemplo, aquello que tiene un «uso» en vida, se retuerza en el uso que puede hacerse de eso mismo en la muerte, como convertir la piel en un abrigo, o como en la mítica escena de *Hannibal* (Ridley Scott, 2001) en la que Lecter hace que su víctima se devore a sí mismo –su cerebro– sin saberlo, la carne que se utiliza «para vivir» se consuma «para matarse» uno a sí mismo: comer para vivir *vs.* comerse y morir. Lo macabro supone, pues, una vuelta de tuerca sobre de la relación convencional vida y muerte.

Para entender qué sea lo macabro, la etimología no es tan clara como en el caso de lo siniestro. En su *Breve diccionario etimológico de la lengua castellana*, Corominas define lo macabro con aquello que

«recuerda vivamente la muerte». En su explicación sitúa el origen
etimológico de la palabra con la «danza macabra» (*danse macabre*)
característica del siglo XIV, y ésta a su vez, queda relacionada con

> la denominación de aquel género literario en que solía represen-
> tarse una serie de personajes de todas las clases sociales que
> desfilaban despidiéndose de la vida; quizá por alusión a los her-
> manos Macabeos, que sufrieron el martirio de Judea.

Según esta definición lo que sea macabro no tiene tanto que ver
con la muerte, sino con la visión y constatación de la muerte no
sólo porque ésta viene a buscarnos, sino porque hace bailar unos
cuerpos que son, en realidad, cadáveres. Por debajo de las vesti-
mentas características de la clase social, despojado de sus lujos, el
hombre es sólo un cuerpo que ha de morir. Y morirá. Macabro es,
por tanto, nuestro propio cuerpo cuando queda desposeído de
asociación unívoca y parcial como organismo mismo y se transforma en la mera materia de una carnosidad que, constituida de
carne, vísceras y sangre, experimenta no sólo el paso del tiempo,
sino su conversión en comida para gusanos. Como si el cuerpo
pudiera darse la vuelta, bajo la piel puede ahora verse lo visceral,
las tripas, la sangre, las venas, lo que bajo ella se esconde y que
puede verse tras la heridas y cortes que se realizan sobre la carne,
como en el caso de los martirios. En la iconografía medieval
asociada a lo macabro los muertos que se aparecen a los vivos ya
sea como parte de la danza de la muerte o danza macabra, porque
en ella se constata la fugacidad de la vida y la corrupción de los
cuerpos, aparecen descritos como podridos y comidos por los gusanos. Los cuerpos de los muertos son, en realidad, como los nuestros. Exclaman los muertos: «*sum quod eris / quod es olim fui / hodie
mihi cras tibi*» («Éramos lo que sois / lo que somos seréis / Hoy para
mí, mañana para ti»). Y así, la danza de la muerte o danza macabra comenzó a asociarse, tras la convulsión que supuso la Peste

Negra de 1348, con los diferentes momentos de corrupción del cuerpo: el tópico *Vado mori* y el *Ubi sunt* se plasman ahora en cuerpos de muertos, que moviéndose y hablando con los vivos, aparecen pútridos y deteriorados. Por eso, según se cuenta, la danza de la muerte si es macabra es porque se baila con esta constatación de la corrupción de los cuerpos, y no con la supuesta belleza de las almas. Baudelaire, el poeta de lo macabro, hace uso de la palabra «carne» para mostrar no los «vicios de la carne», sino la «carnosidad» de la misma. Y así en «Danza macabra» hace bailar a los muertos cuya «embriaguez de carne comprender no les deja» lo que la carne realmente implica: vida y, al mismo tiempo, muerte:

> Antínoos marchitos, dandys de rostro imberbe,/ cadáveres brillantes, lovelaces canosos,/ el ritmo universal de la danza macabra/ os arrastra a lugares que todos desconocen.

Otro de los orígenes que quiere encontrarse en una palabra de origen tan incierto es aquel que se asocia también al cuerpo, pero a través de la figura de los martirios en la historia bíblica de los Macabeos, aquellos hermanos que, según las Escrituras (II Macabeos, 7), fueron torturados con ensañamiento por el rey Antíoco Epífanes al negarse a comer carne de cerdo: en su martirio se cortó la lengua al que habló y se dio muerte lenta a cada uno de ellos delante de su madre para ser, después, literalmente fritos en la sartén: «Mutilado de todos sus miembros, mandó el rey acercarle al fuego y, vivo aún, freírle en la sartén». La danza de la muerte es denominada también, por eso, «*Machabaeorum chorea*» (baile de los Macabeos). Constatación, macabra, pues, de que nuestro cuerpo es mera carne que, como la del cerdo, puede ser cocinada. La tortura no deja de ser macabra: a través de ella se saca fuera lo que «debiera permanecer oculto dentro», es decir, la vísceras. Donatella Di Cesare recupera en este sentido en su libro *Tortura* unos versos de Wislawa Szymborska:

El cuerpo es doloroso / necesita comer, respirar y dormir / tiene
piel fina y, debajo, sangre, / tiene buenas reservas de dientes y de
uñas, / huesos quebradizos, articulaciones dúctiles. / Para las
torturas todo se tiene en cuenta.

En la tortura al cuerpo se le da la vuelta y aparece visible no la
piel, sino los huesos y la sangre, el corazón y el hígado. Nótese que
si en español, italiano o francés, macabro remite siempre a la
misma raíz, en inglés, por su parte, además de *macabre*, se emplea
el término *bloodcurdling* que incide en la idea de lo sanguinolento
(*blood*) espeluznante, es decir, que hiela o cuaja (*curdle*) la sangre.
El cuerpo, más que la cárcel del alma, es su casa y su medio. Vivimos porque tenemos cuerpo. Y morimos por lo mismo. En eso
consiste el realismo de las pinturas de Francis Bacon: en el desga-
rro de un cuerpo que es desenmascarado, aprehendido desde lo
visceral constitutivo. La boca es, en este sentido, apertura y entrada que deja atrás los labios y se abre camino como túnel de
carne. La extimidad de Bacon pone lo más íntimo, literalmente las
vísceras, fuera para aprehender y mostrar la existencia desollada
del hombre. Quizá de ahí lo macabro de muchas de sus pinturas.
Pero el ejemplo de lo macabro en pintura es *El deterioro de la mente a
través de la materia* de Otto Rapp (1973) con un cráneo humano en
descomposición dentro de una jaula que es la propia mente. Aunque en realidad la mente, entendida como algo abstracto, es también fruto de las conexiones neuronales de otro órgano: el cerebro.
Descompuesto éste se acabó el alma. La imagen es literalmente
descarnada. Somos sonrisa de treinta y dos dientes como leemos
en «Danza macabra» de Baudelaire: quien se asquea es porque por
bello (por fuera) se tiene, pero también sabe, de seguir a Kristeva,
que aquello ajeno que ve y toca es también su patrimonio: «todos
oléis a muerte. Esqueletos fragantes» (Baudelaire). La pregunta es
la siguiente: ¿quién no ha abrazado, al estrechar entre sus brazos a
un ser querido, al mismo tiempo a un esqueleto? ¿quién no ha co-

mido, en un banquete, alimentos que están ya en proceso de deterioro? ¿Siente asco, lector? El asco es la defensa ante lo macabro. Esta idea, la de dar la vuelta al cuerpo y, encarados con su organicidad putrefacta, sentir la muerte cierta, nos lleva a una primera aproximación de lo siniestro con lo macabro. No será la primera vez en este número que se mencione la estrecha relación existente entre lo siniestro (lo *Umheimlich*) con el hogar (el *Heim*). Freud hace ver, a través de una referencia a Schelling tomada del *Wörterbuch der Deutschen Sprache* (1860) de Daniel Sanders, cómo lo siniestro (en alemán *Umheimlich*) está asociado a lo más familiar (al. *Heimlich*, de *Heim*, hogar). La formulación, que es, por otro lado, muy conocida, dice lo siguiente: «Se denomina *Unheimlich* todo lo que, debiendo permanecer secreto, oculto... no obstante, se ha manifestado». Según esta definición lo siniestro se da en el seno de lo familiar: no es algo extraño que irrumpe desde fuera, sino algo que estando oculto en lo más nuestro, pongamos por caso, nuestro hogar (o nuestra realidad), aparece desde dentro y convierte lo más propio y familiar en algo extraño. Lo que nos perturba de este modo de las historias de terror es que *lo inquietante aparece* en lo que es más propio, en el ámbito de «seguridad» que debe ofrecer un hogar. Lo más cotidiano y lo que nos debe proporcionar cobijo, puede albergar de este modo lo más extraño y perturbador y de hecho, si es perturbador es porque rompe nuestra normalidad e introduce un elemento de extrañamiento que nos desorienta. No podemos dar nada por seguro. El hogar, la casa, ya no es lugar de «protección» en el que podamos estar a salvo. De ahí la relación de lo siniestro con el terror. También lo siniestro para Freud tiene que ver con los muertos, pero si él lo vincula con los fantasmas (y con casas encantadas), en lo macabro se relaciona con los restos mortales de ahí que si se trata, como en el ensayo de 1919, de saber bajo qué circunstancias las cosas familiares se tornan siniestras, habrá qué pensar cuáles son las condiciones de posibilidad en las que la muerte deviene macabra.

II

Habitación 237 del hotel Overlook. Jack Torrance descubre una mujer joven y hermosa saliendo de la bañera. Se acercan y, con deseo, se besan. Cuando Jack comienza a recorrer su cuerpo, éste es ya otro: envejecido y putrefacto. La mujer ríe. Jack es presa de la abyección y del espanto. Lo macabro de esta escena no consiste en que Jack de pronto vea un fantasma o que sea capaz de ver algo que antes se ocultaba (tal cosa caería dentro de la definición freudiana de lo siniestro), sino en el acto mismo por el cual Jack mantiene un acercamiento con un cuerpo descompuesto, es decir, con la carne pútrida que aflora desde siempre en potencia en una piel que parecía tersa. Esta certeza, la de la carne muerta, y la interacción con el cadáver es lo que introduce lo macabro en la escena. Hacer poesía de un cadáver en estado de putrefacción como en Baudelaire sería también ejemplo de lo macabro:

> Con las piernas por alto, igual que una lasciva / ardiendo y transpirando sudores venenosos, / ofrecía a la vista con cinismo indolente/ su vientre ya deshecho en mil emanaciones. / Recalentaba el sol aquella podredumbre / como para cocerla en su punto adecuado / y devolver cien veces a la Naturaleza / todo cuanto ella un día uniera con cuidado / [...] / Zumbaban las moscardas sobre el vientre podrido, / del que a veces salían en negro batallón / mil larvas que fluían como un líquido espeso / por aquellos harapos que vivos se antojaban («Una carroña», Baudelaire).

Lo interesante de los versos de Baudelaire es la inversión del punto de vista: del cuerpo al cadáver, de un órgano destinado a albergar vida a un órgano en estado de putrefacción, del mal a una flor, del deseo al asco. La clave es la exposición (al. *Schau*) de algo que nos causa estremecimiento (*Schauder*) ante su obligada contemplación no por insólito, sino por demasiado ordinario e inevita-

ble, aunque no por ello esté normalizado. Lo macabro nos sitúa
ante un secreto a voces que, cuando se visibiliza, no sorprende,
sino que se expresa, como quien siempre fue consciente de este
hecho, con arcadas y gritos ante el exceso de realidad. Si para Žižek
en la práctica del *cutting* el corte en la carne se efectúa para sentir
y afirmar la propia realidad, en lo macabro el corte abre el acceso
a lo Real: a lo traumático excesivo que no queremos integrar
en nuestra realidad cotidiana y que, por tanto, asociamos con la
pesadilla. La pregunta es, en lo macabro, qué es aquello que no
queremos integrar o, por parafrasear a Freud que a su vez cita a
Schelling, qué es lo que no queriendo que sea, es y debe ser aunque lo apartemos. Y la respuesta es la corrupción siempre presente
de nuestra carne, constatación de una mortalidad que combatimos
con (mala) estética.

La macabro como lo siniestro se asocia con «lo familiar que
deviene extraño» pero eso familiar no es tanto el contexto o la casa,
sino el cuerpo que veo en el otro y que, al mismo tiempo, si me
causa abyección es porque, de alguna manera, sé que está relacionado conmigo: *sum quod eris / quod es olim fui / hodie mihi cras tibi.*
Como diría Kristeva en *Los poderes de la perversión*: ello me toca. Lo
abyecto viene de dentro, nos afecta, nos toca, de ahí su relación
con el asco, la repugnancia, el vómito, con el ensañamiento de los
cuerpos, algo que parece carecer de sentido pero que no tiene nada
de insignificante y que nos aplasta contra la realidad, de ahí que
«de este elemento, "yo" nada quiero, "yo" nada quiero saber, "yo"
no lo asimilo, "yo" lo expulso» y así, con la certeza de lo descompuesto y de la podredumbre, siento abyección: quiero arrojar fuera
de mí lo que, aunque está fuera, me toca: lo vomito, me repugna,
me causa repugnancia. En lo macabro aquello que se impone es la
verdad de lo que no quiere saberse: la carnalidad y deterioro del
propio cuerpo. El horror. Si, como en la tortura, el cuerpo queda
desollado o, literalmente, sacado lo que debiera haberse quedado

dentro del cuerpo, éste se convierte en el lugar de extrañamiento
que, al ser descubierto como pútrida carne, como en aquellas escenas de la danza macabra, con huesos revestidos de carne putrefacta y vísceras a punto de caer al suelo por el ritmo de la música
de la muerte, manifiesta que lo que no es más próximo es, en realidad, algo extraño y fuera de control. Por recuperar a Schelling,
como hace Freud, lo que encontramos en su definición de 1809
aplicada al mal, no porque lo macabro se asocie a un mal que
puede ejercerse, sino al daño que puede sufrirse y al deterioro
que inevitablemente se padece:

> El único concepto correcto del mal, según el cual éste se basa en
> un trastorno positivo [*positiven Verkehrtheit*] o inversión [*Umke-*
> *hrung*] de los principios, ha sido de nuevo puesto de relieve por
> Franz von Baader, recurriendo para ello a penetrantes analogías
> físicas, en concreto, la de enfermedad.

La muerte no es la enfermedad de la existencia, pero lo insano
da la vuelta a la limpia superficialidad con la que nos miramos en
el espejo. Y sin embargo, tras la cara, se abre la profunda materialidad informe. Por eso, el trastorno hace ver, como dijera Baader,
cómo forma y figura se desfiguran o deforman. Si la muerte nos
alcanza a todos es porque nuestra carne se deshace del mismo
modo independientemente de la clase social, como en aquella
danza macabra. Esta imagen es siniestra porque hace ver lo que
siempre estuvo allí, pero es también macabra porque tiene que ver
con nuestra propia y física muerte. Aquí no cuenta el difunto sino
el cadáver, el resto mortal. El *ubi sunt* característico de las icono-
grafías macabras medievales adquiere aquí su sentido, con cuerpos
que, aun moviéndose como si estuvieran vivos, son cadáveres an-
dantes con gusanos y alimañas que asoman por incisiones abdomi-
nales. Se da, pues, la vuelta al cuerpo, de organismo con piel que
oculta lo visceral que nos constituye, pasamos a la extimidad de un

cuerpo, nuestro lugar más familiar, que es en realidad una casa de carne que, con el tiempo, se derrumba pasto de bacterias y gusanos, o a golpes y desgarros de cuchillo.

Si Freud se cuestiona la ecuación siniestro-insólito, en lo macabro ha de superarse la ecuación macabro-truculento. Evidentemente la muerte no es insólita, al contrario es lo que siempre está ahí y ni quiere verse, es nuestra expectativa más segura. La etimología de la palabra ha llegado a relacionarse, como señala Vicente García de Diego en *Diccionario etimológico español e hispánico*, con otro origen: el árabe *maqbarah* que significa «cementerio». Para que sintamos lo macabro y lo diferenciemos de lo truculento (*trux, trucis*), entendido como aquello que espanta o abruma por su descarnada crueldad, es preciso que para sentir lo macabro, esta inversión y exposición de la íntima carnosidad de nuestra existencia sea sacada de su contexto: que lo muerto, que tiene su lugar en el cementerio o necrópolis, de alguna manera traspase ese límite y se sitúe en el mundo de los vivos de un modo que no debería. Moriremos, la cuestión es ahora qué se hará con nuestro cadáver. Bailar con un cadáver *como si* estuviera vivo, vivir con él y cuidarlo (*Psicosis*, Hitchcock), casarse con él (*La novia cadáver*, Burton), comérselo (*Holocausto caníbal*, Ruggero Deodato o, menos truculenta, *Tomates verdes fritos* de Avnet, basada en la novela de Annie Flagg de 1987) son de este modo situaciones que despiertan lo macabro. Si bien en francés, italiano o incluso inglés la palabra remite al mismo incierto origen (*macabro*), en alemán hay un interesante sinónimo: *schaurig*, de la misma familia que *schaudern* (estremecerse) y de *schauerlich* (horripilante). Lo macabro se asociaría, de este modo, a diferencia de lo siniestro, al horror y no al terror. En el *Diccionario Etimológico de los hermanos Grimm* se señala en una de sus entradas que *schaurig* se relacionaría con lo débil y con la brevedad orgánica. Volvemos, de nuevo, a la carne. Lo que nos estremece es aquello que en realidad no tenemos ni controlamos: el cuerpo familiar que deviene extraño no sólo por su interioridad sino por su autonomía con respecto a nuestra voluntad. También *schaurig*, dicen los Grimm, se vincula con los deshechos y los excrementos. Lo macabro, por tanto, va de muertos no porque todos vayamos a morir (en tal caso, morir sería en sí mismo macabro), sino con un deleite morboso del espectáculo de la muerte. Un espectáculo (en alemán *Schau*) que nos estremece (*schaudern*) ante un deterioro del cadáver del otro que será el nuestro. Recuperamos a Aristóteles cuando dice que la visión horrorosa del cadáver produce un cierto placer: el displacer de la repugnancia que nos resulta morbosamente gozoso quizá por situarnos, en ese momento, todavía en el límite que separa nuestra forma de la deformidad que nos conforma. «Por esto –afirma Aristóteles– [los hombres] se regocijan (*chaírousi*) mirando (*horontes*) las imágenes (*eikona*), porque ocurre que contemplándolas (*theorountas*) aprenden (*manthanein*) y razonan qué es cada uno, tal como que éste es aquél». El sentimiento de lo macabro surge cuando no podemos dejar de mirar y, al hacerlo, de comprender y aprehender que la carne del otro es como la nuestra y así, identificados con ella, gozamos del espectáculo de una muerte que nos estremece, pero que aún no es la nuestra. Si lo sublime se asocia con el sobrecogimiento ante la infinitud y grandeza, su antítesis es el escalofrío ante la inesquivable finitud y pequeñez que se nos impone con nuestra mortalidad y que, sin embargo, nos atrae. «Lo repugnante –dice Rosenkranz– nos repele porque suscita en nosotros [...] horror por su carácter mortuorio». También él hablará en su *Estética de lo feo* de la *Danze macabre* para subrayar la aporía de la vitalidad de la muerte que destruye la vida, pero que, añado yo, no acaba con ella de un corte tajante, como si fuera un fin, sino que es la vitalidad orgánica del deterioro que siempre nos acompaña. Los esqueletos, llega a decir Rosenkranz, son bellos, pero son macabros cuando nos recuerdan nuestra propia muerte. Y aquí tenemos otro punto de diferencia con lo siniestro: una casa es siniestra, sostiene Freud, cuando está encantada o tiene fantasmas, pero para ser macabra no es preciso que haya un espíritu (literatura) o se manifieste lo que estaba oculto en la vida psíquica (psicoanálisis), sino que basta con que haya un cadáver con un uso anormal (literatura) o se ponga de relieve de forma muy evidente e innegable la certeza de que nuestra vida física es la de un cuerpo que se descompone (filosofía).

Si lo siniestro se asociada con el terror, a lo macabro le corresponde el territorio del horror. Mientras que el terror designa sobre todo una quiebra que produce un cambio en el que «lo familiar deviene extraño», muy asociada al ámbito de lo social y lo político (recuérdese el periodo comprendido entre 1793 y 1794 en la Revolución francesa denominado el «Terror» o la reorganización geopolítica que implica el terrorismo), el horror alude a una dimensión en la que se hallan unidas inseparablemente la estética, la ética y la dimensión existencial del ser humano, aunque tiene indudablemente un impacto en lo político. El terror alude a un miedo que desencadena lo siniestro. El horror a la constatación de lo que no quiere ser pensado, a lo rechazado, pero que sin embargo es. Es lo ab-yecto, lo que arrojamos fuera porque no reconoce las reglas de juego de lo que concebimos artificialmente como lo normal, pero que es parte de nuestro propio mundo. No se puede asimilar: por eso ante su visión se expulsa, se vomita. Mientras que el terror está asociado a una desgarradura por la que se introduce en nuestro ámbito cotidiano una alteración que quiebra la lógica por la que entendemos nuestro mundo y transforma lo familiar en algo extraño, esto es, en algo siniestro, el horror forma parte del mundo y muestra no una extrañeza que convierte un objeto cotidiano en algo siniestro, sino que sitúa al sujeto ante lo abyecto, ante la descomposición del propio orden que nos sostiene y que afecta a la estructura misma del sujeto. Si el terror implica un corte abrupto, el horror apunta a la herrumbre del armazón que mantiene en pie nuestro horizonte de cotidianidad. La muerte no es en sí misma horrible, como dijera Lessing en *Wie die alten den Tod gebildet*, sino que lo que causa horror es lo que sucede en la vida física y orgánica con ella. No es horrible el difunto ni su falta, sino lo que será de su cuerpo, la vida residual de su cadáver, de ahí, la iconografía de lo macabro en el medievo, que hace énfasis en este carácter material del cuerpo (frente a lo espiritual del alma) o del arte macabro de Géricault, Rapp, Bacon o de Yuko Tatsushima que se centra en la representación de mujeres muertas y mutiladas, en la corporalidad y en los usos y abusos de los cadáveres. Lo abyecto viene de dentro, nos afecta, nos toca, de ahí su relación con el asco, la repugnancia, el vómito, con el ensañamiento de los cuerpos, más macabro si cabe si es ultraje de los cuerpos que se usan de modo inusual, o si hay deleite con la putrefacción, como en los versos a «Una carroña» de Baudelaire. Lo macabro es pues, parafraseando la definición que Freud brinda de lo siniestro, la mirada sin párpados por la que vemos lo que siempre se está manifestando, lo que siempre late tras la homogeneidad de la piel: que somos fluido y sangre y huesos y carne, que la muerte no es una dama que lleve nuestra alma en plena noche, sino que es sobre todo el desgaste físico y orgánico que nos constituye a cada paso y que, arrinconada en los lugares «pensados» para esta función (el velatorio, la necrópolis, el recuerdo del difunto) para que quede fuera de la vista y podamos ignorarla, en realidad rebasa los límites de cualquier orden que queramos darle.

III

Detener el tiempo o crionizarnos como Walt Disney, no es luchar contra la muerte, sino querer parar el deterioro de nuestra carne. La muerte no es el fin del camino ni el cuerpo nuestro recinto. La muerte es una de las dos orillas de la vida que siempre nos acompaña en un camino que recorremos físicamente con el cuerpo que somos. Sólo cuando la muerte parece salir de «su sitio» y transgredir el límite de los tabúes desplazando contextos y usos, nos encaramos a la desagradable certeza de que la muerte no es un sueño que deje tras de sí un cuerpo muerto, sino que la vida es vivir con un cuerpo que desde su nacimiento está muriendo. Si lo siniestro nos paraliza de miedo, nos petrifica o nos hace gritar de espanto, lo macabro nos repugna y nos hace gritar de asco, entre la incomprensión y la certeza que lejos de petrificar, nos descompone. Lo macabro se asocia de este modo a una estética de lo feo, donde la ausencia de forma o lo deforme son claves (Rosenkranz). No en vano, a la carroña de Baudelaire:

> Las formas se borraban, ya no eran mas que un sueño / [...] / Y, sin embargo, un día serás tú esa basura, / esa enorme inmundicia, esa horrible infección.

Esta estética supone una lectura muy concreta del Romanticismo marcada por la «inversión de los principios» que se materializa en el llamado «Romanticismo negro» con un tratamiento de la muerte en la que ésta se enfoca en la caducidad del cuerpo mortal y en el uso que se hace del cadáver. No en vano los cuentos de Poe se denominan *Cuentos macabros*, nombrados así por su relación no con la muerte, sino con los muertos y no con los fantasmas, sino con los cuerpos de carne y hueso: *Ligeia*, en el que el cuerpo de Lady Rowena está muerto... y se mueve; *Berenice* con una tumba profanada y unos cuantos dientes...; *Morella* y un cuerpo que se deteriora y un alma que, sin embargo, busca otro cuerpo; *La caída de la Casa Usher*, que es la historia de la muerte sin fantasmas de una familia cuyos males se manifiestan en los cuerpos de sus integrantes; *El gato negro*, otra terrible historia muy vinculada al destino de los cuerpos.

Pero no son estos cuentos los que analiza Freud en su ensayo, sino que recurre a la literatura romántica, la de E.T.A. Hoffmann, para analizar qué hace de «El hombre de arena» (1817) un cuento siniestro. Aunque el cuento macabro por antonomasia de Hoffmann sea «El magnetizador» (1814) que cuenta la historia del deterioro de un cuerpo y su conversión en cadáver, también «El hombre de arena» puede utilizarse para indagar en lo macabro buscando elementos relacionados con el horror y el asco, con la descomposición y el cuerpo. Hay, al menos, dos cadáveres en el cuento (Nathaniel y su padre) y una novia, si no muerta, sí carente de vida a la que Hoffmann hace bailar con el protagonista de su historia. Una danza siniestra en principio, pero no macabra porque sólo lo sería si Olimpia fuera un cadáver. Como en Freud, al poner el peso en los ojos y en la mirada, desde la perspectiva de lo macabro es preciso centrarse no en lo inorgánico del autómata, sino en lo orgánico de sus personajes. Si a la figura del arenero le es inherente el sentimiento de lo siniestro, a la figura de Nathaniel le es inherente la de lo macabro. El autómata tiene la función de esquivar la muerte, como si lo orgánico pudiera sustituirse por algo que no se descomponga, sino que se desmonte limpiamente como la pieza de una maquinaria que, en caso de estropearse, se pueda reparar, como en aquella película de 1992, bastante macabra por otro lado, *La muerte os sienta tan bien* (Robert Zemeckis). Y así, sorprendido por Coppelius, personaje que físicamente repugna a Nathaniel, cuando tras las cortinas del despacho de su padre les espía mientras saltan cabezas sin ojos por encima del hornillo, es «dado la vuelta» por el mecánico Coppelius para encontrar cuál es su mecanismo y sus resortes. Está todo dislocado, exclama Coppelius, «Hay algo que no funciona». Hay algo siniestro en esta escena, pero también macabro por lo que hace con el cuerpo de Nathaniel: darle la vuelta, buscar «su mecanismo». Tras la explosión que causa la muerte de su padre, llega la exposición al horror de la carne: «Delante de la chimenea se halla tendido el cadáver de mi padre, ennegrecido y mutilado de una manera espantosa». Esta visión, la del cuerpo descuartizado será la que acompañe al joven Nathaniel cuyo propósito será aquello que, desde entonces, hace de él una figura clave para entender lo macabro no tanto porque se enamore de una autómata (siniestro), sino porque quizá lo hace inconscientemente para evitar la muerte de una amada que si no puede morir es porque nunca estuvo en realidad viva para no encarar la muerte que, en realidad le persigue (macabro). Estudia física y se convierte en el discípulo de Spalanzani quizá porque su objetivo es precisamente el mismo que fuera el de su padre: construir un ser que, aunque pueda destruirse, no se putrefacte con el paso del tiempo. Una negación de la organicidad del cuerpo en toda regla. Fanático de la belleza y la proporcionalidad se enamora primero de Clara y después, lo hace de Olimpia que al carecer de huesos, de carne y de vísceras, está liberada de la corrupción del cuerpo. Efectivamente se habla del gran corazón de Clara y de la profundidad de sus ojos, pero de Olimpia sabemos sólo de la perfección de sus proporciones externas y de unos ojos que nada miran porque no hay nada dentro. Y es con ella, con el ser «sin vida» con quien baila: vuelta de tuerca de la danza macabra:

> ¿Cómo atreverse a invitar a la reina de la fiesta? En fin... no supo bien cómo, pero poco después de empezar el baile se encontró junto a Olimpia, a la que nadie había sacado aún, y apenas osando balbucir alguna palabra, tomó su mano [...] la mano de la joven estaba helada como la de un muerto.

Y quizá con la visión final de la verdad de Olimpia, en aquel pasaje memorable en el que las piernas de madera golpean contra la barandilla de la escalera y los ojos se rompen como cristal, le suceda como a la protagonista de *La pianista* de Haneke de la que habla también Žižek: que no puede aceptar la verdad de su fantasía y se derrumba atemorizado ante la realidad de su realización de su inconfesable fantasía. Y así, en esta escena final en el campanario mira a Clara, convertida en una «muñeca de madera» sin ver quizá que él mismo puede ser la realización consumada e invisible de la fantasía de un padre que quizá tampoco sepa enfrentarse a la verdad corporal de la muerte. Combatir la muerte, aunque de otro modo, fue el objetivo de Víctor Frankenstein en la novela de Mary Shelley (1818), al utilizar carne muerta para generar vida. Algo que, si se piensa detenidamente, es bastante macabro.

A. C.-C.

«Por favor, considéreme usted un sueño»
Lo cómico y lo siniestro de *It* a Kafka

Jorge Fernández Gonzalo

En el momento en que escribo estas líneas se estrena en las salas de cine la segunda parte de la película *It* (2017; 2019), una nueva versión de la novela homónima de Stephen King publicada en 1986 y anteriormente versionada en la pequeña pantalla (1990). En ella, vemos como la imagen irrisoria por antonomasia, la de un payaso infantil, se ve transformada en su exacto opuesto: la de una entidad fantasmagórica empeñada en atemorizar a los protagonistas.

La cuestión que nos plantea esta figura arquetípica alcanza una complejidad infranqueable: ¿qué mecanismos han de ponerse en funcionamiento para que un personaje o una trama humorística puedan derivar en su contrario, un elemento amenazante y fatídico? ¿Qué fina línea une el humor y lo horripilante, y qué hemos de hacer, en términos estético-formales, para traspasarla? O dicho de otro modo: ¿cómo es posible esa oscilación entre lo *cómico* y lo *siniestro*?

No deja de ser curioso que el creador del concepto estético de lo siniestro u ominoso (*unheimliche*) fuera también el autor de uno de los más interesantes y tempranos estudios sobre la estructura del chiste. Hay entre ambos fenómenos una relación de complementariedad que trataremos de analizar aquí. Para ello, vale la pena remitirnos al texto de Robert Pfaller «Lo desconocido familiar, lo siniestro, lo cómico: los efectos estéticos del experimento mental», en donde el autor establecía la existencia de cuatro puntos de contacto entre ambas esferas: la *ocurrencia de la causalidad simbólica*, el *éxito*, la *repetición* y el *doble*.

El autor retoma la idea freudiana de que la realización de nuestros deseos nos depara una sensación ominosa; en efecto, las casualidades, las similitudes estructurales entre fenómenos y la realización de una ficción simbólica quedan perversamente bañadas de una atmósfera siniestra. En la comedia es fácil observar que ciertas «profecías autocumplidas» se efectúen sin que medie siquiera la formulación explícita de su contenido profético: en la película *Mentiroso compulsivo* (Tom Shadyac, 1997), con Jim Carrey como exultante protagonista, éste se ve obligado a decir la verdad a causa de una extraña maldición, lo que conlleva que al final de la cinta sea incapaz de mentir aun cuando los efectos de la misteriosa magia se hayan agotado. En *La maldición del escorpión de jade* (Woody Allen, 2001), el personaje de Allen y el de Helen Hunt fingen estar enamorados a causa de la hipnosis, pero al desaparecer sus efectos el amor persiste como si las estructuras formales desatadas por la comedia se «cumplieran» en el contenido de la obra en una suerte de «determinismo inverso», un determinismo que no arrastra a los personajes hacia un final indeseable, sino *hacia aquello mismo que —secretamente— deseaban*. Esto concuerda con la segunda de las categorías que apunta Pfaller, la del *éxito*: las comedias acaban bien, muestran este plegamiento de nuestros deseos y de la realidad, hecho que el propio Freud describía como

una manifestación de lo siniestro (en su ejemplo, un paciente que
desea la muerte de un anciano que le ha usurpado su plaza en un
balneario se ve perversamente contrariado cuando unos pocos días
después le comunican que el anciano ha muerto). Por lo que res-
pecta a los fenómenos de la repetición y el doble, la comedia ofrece
innumerables ejemplos de ambos recursos (pensemos en la meca-
nicidad del Chaplin de *Tiempos modernos*, de 1936, o en las irrisorias
similitudes de los personajes Schultz/Hynkel en *El gran dictador*, de
1940), a pesar de que el propio Freud había hecho notar su carácter siniestro.

En tal caso, ¿cómo distinguir lo cómico de lo siniestro, si es que
realmente es posible hacerlo? El texto de Pfaller culmina con la
siguiente distinción: lo cómico es *lo que resulta siniestro para los demás*. A primera vista, lo cómico depende de un experimento mental, una virtualidad: cuando el velo de la fantasía cae, lo cómico se
vuelve siniestro. De este modo, aquello que resulta cómico para
nosotros se torna siniestro para los desprevenidos e ingenuos. Dicho en términos lacanianos, es preciso que lo cómico se sustente
por el velo de lo imaginario; una vez que atravesamos la fantasía,
nos encontramos con el oscuro abismo de lo Real, una singularidad horrenda, desbordante, que produce efectos ominosos a quien
la contempla. Recordemos las viejas fábulas griegas: la belleza de
los dioses sólo podía ser contemplada a través de algún artificio, un
reflejo, una pantalla; cuando la miramos directamente, sucumbi-
mos a su poder y caemos en la locura psicótica (la muerte de Ac-
teón, la transformación en piedra de los jóvenes que contemplaban
a la Medusa, etc.). Algo similar sucede con lo siniestro: como
apuntaba Freud, para ser sorprendidos por su irrupción es necesario haber superado ciertas creencias (debemos haber dejado de
creer en fantasmas para que un «fenómeno fantasmal» nos resulte
perturbador). La cuestión, entonces, es que la comedia nos permite situarnos cómodamente en la creencia y la ilusión, mientras

que lo siniestro estalla precisamente cuando creemos haber superado sus añagazas.

Para ilustrarlo, Pfaller recurre a un ejemplo del psicoanalista
Octave Mannoni: un personaje de una obra teatral finge estar
muerto. Si alguien le acerca polvo a la nariz y éste estornuda, el
público ríe. ¿La razón? Porque existe una secreta convicción de
que se ha roto una ilusión teatral en la que una parte del público
podría aún creer; dicho de otro modo, reímos porque hemos descubierto una mentira en el gran Otro lacaniano (el orden social
comunitario) encarnada aquí en los convencionalismos escénicos.
Por supuesto, si el actor no respirara realmente, lo que sucedería a
continuación sería espantoso: el hecho traumático habría sido positivamente registrado en el Otro, ya que el actor podría haber
sufrido algún tipo de problema real. Y sin embargo, esto último no
coincide con lo siniestro: lo realmente siniestro consistiría en que
hubiéramos registrado positivamente la muerte del actor o de una
persona, y que de repente *nos pareciera verle estornudar*. Este elemento extraño o perturbador (lo muerto que parece vivo) es lo que
de verdad nos sitúa ante una experiencia ominosa auténtica. En
resumen, para que lo siniestro tenga lugar es preciso *una ilusión en
la que llegamos a creer*, mientras que en lo cómico dicha ilusión está
puesta en suspenso. Si creemos que el actor está muerto, su estor-
nudo es siniestro. Si ponemos en suspensión nuestra creencia, podemos aferrarnos a la comicidad de la escena.

No hemos de concluir, empero, que la condición siniestra o risible del objeto pertenece irremisiblemente al marco de lo subjetivo. En último término, el objeto cómico *denuncia una falla en el
Otro*, la ridiculiza, le toma el pelo, mientras que en el objeto siniestro *este registro es defectuoso*. Se podría concretar que lo cómico se
produce en relación con un agujero en lo simbólico, mientras que
en lo siniestro encontramos este mismo agujero como parte del
objeto (solo que, en un estricto sentido lacaniano, cada uno de

nosotros tiene la capacidad de determinar el horizonte de objetividad al que se enfrenta). En la película *El circo* (1928), nuevamente de Chaplin, el protagonista huye de un policía en unas instalaciones circenses; accidentalmente, entra en la cámara de los espejos, se choca varias veces consigo mismo y se pide disculpas. El motivo del doble es aquí registrado/contenido en un espejo, tratado como un objeto independiente y, por ello mismo, risible, frente a la angustiosa proximidad del mito del Doppelgänger: en el largo poema de Charles Baudelaire «Los siete ancianos» el poeta-*flâneur* recorre ensimismado las calles de París cuando se cruza con un viejo decrépito, encorvado sobre sí mismo, observándole con una mirada inquisitiva. Tras describir el aspecto y los trabajosos andares del hombre, Baudelaire se topa con otro anciano idéntico, y después otro, y otro, así hasta ver a siete viejos pasando sucesivamente ante sus ojos sin llegar a coincidir nunca entre sí. El intento por racionalizar esta escena es siniestro en la medida en que el sujeto incorpora/asume este fenómeno como una falla en el orden comunitario de la que él mismo no logra desprenderse.

El carácter siniestro o cómico, pues, surge por una cuestión de perspectiva, si bien es preciso insistir en que esta doble perspectiva *está inscrita en el objeto mismo*; es realmente nuestra posición respecto al objeto la que nos permitirá ver un reflejo y otro, del mismo modo que basta con tocar unas pocas teclas para transformar una tragedia en una comedia y una comedia en una tragedia, como hará Woody Allen en su película *Melinda y Melinda* (2004).

La historia de la literatura universal nos ofrece un caso especialmente relevante en el que un mismo objeto artístico permite establecer una lectura irrisoria y siniestra en función del modo en que asumamos que ésta ha de ser registrada en el campo del «gran Otro literario». Hablo, por supuesto, de la singular obra de Frank Kafka. Recordemos una curiosa anécdota protagonizada por el escritor austríaco cuando fue invitado a la proyección de una serie

de películas de Charles Chaplin, a lo que rehusó aduciendo que
«Para mí, lo cómico es un asunto demasiado serio. Podría acabar
fácilmente como un payaso desmaquillado». La cuestión es: ¿y si
esto mismo *ya se hubiera producido*? Es decir: ¿y si Frank Kafka haya
acabado siendo el «payaso desmaquillado» del que había renegado
(y ahí estribaría su grandeza literaria)? Walter Benjamin anun-
ciaba que *«quien consiguiera descubrir los aspectos cómicos de la Teología
judía* tendría en su poder la clave de Kafka»; Thomas Mann, por
su parte, se refería a él como un «humorista religioso», y el español
Félix de Azúa apuntaba que uno de sus rasgos más sobresalien-
tes como escritor consistiría en:

> Su humor corrosivo, a medio camino entre el expresionismo
> germánico y la *self deprecation* a lo Woody Allen. Ese trazo acen-
> tuadamente expresivo, tan propio de las vanguardias centroeu-
> ropeas anteriores a la Primera Gran Guerra, es también un signo
> inequívoco de la testaruda voluntad literaria de Kafka; sin la
> menor duda, deseaba que sus lectores se rieran a carcajadas de
> la esencia trágica de nuestra existencia.

Se entiende así el asombro de Max Brod al percibir que
entre los seguidores de Kafka imperaba la imagen del autor
como un personaje triste y desesperado. Cuando Kafka leyó *El
proceso* ante un grupo de amigos, todos rieron a carcajadas, y el
propio Kafka también. En un momento de sus memorias, Brod
cuenta la siguiente anécdota:

> Una tarde vino a verme (aún vivía yo con mis padres) y al entrar
> despertó a mi padre, que dormía en el sofá, en vez de disculparse
> dijo de una manera infinitamente suave, levantando los brazos
> en un gesto de apaciguamiento, mientras atravesaba la habita-
> ción de puntillas: «Por favor, considéreme usted un sueño».

Musil señaló que los personajes de Kafka nunca reían, que
no existía el humor en el mundo kafkiano, cuando todo parece

indicar que éste sí existe, pero que *se nos escapa*. Y, sin embargo, es preciso llevar aún más lejos las afirmaciones de Musil, y es que los personajes kafkianos *tampoco sufren*, se limitan a heredar una acción y a actuar en consecuencia. Tales acciones, apunta Villacañas de Castro en un estudio sobre el humor kafkiano, movilizan el universo literario de la ficción, pero no llegan a estar presididas por ningún personaje, como si todos estos fueran arrastrados por una fuerza irracional. ¿Es posible ver aquí una suerte de teatro de marionetas bergsoniano, en donde la trama misma se produce como una *cómica* pulsión maquínica? El núcleo de comicidad inherente a las obras de Kafka residiría en esta maquinaria que mueve a los actores sin que estos sean conscientes de las heridas o desgarrones que padecen, exactamente igual que a los muñecos de un guiñol que se propinan empujones y garrotazos sin que lleguen a sufrir realmente ningún deterioro. Hay en los personajes de Kafka, pues, un movimiento *de caída*, y la caída representa el movimiento fundamental de la comicidad. Kafka construye así un universo lleno de asuntos siniestros, pero imbuidos por una dinamicidad plenamente bergsoniana, cómica, oculta bajo los estragos del sinsentido.

Debemos a Milan Kundera la idea, atribuida a su vez a Philip Roth, de que las obras kafkianas constituyen auténticas comedias manufacturadas trágicamente:

> Philip Roth sueña con una película basada en *El castillo*: ve a Groucho Marx en el papel del agrimensor K. y a Chico y Harpo en los de los dos ayudantes. Sí, tiene razón: lo cómico es inseparable de la esencia misma de lo kafkiano.

Podemos ir más allá en esta comparación y traducir otras obras de Kafka al lenguaje de la comedia. Reparemos, para ello, en el cuento «Ante la Ley». En la obra original, un campesino solicita atravesar una puerta y presentarse ante la Ley, pero el guardián le pide que espere. La puerta está abierta, pero el guardián amenaza al hombre: él es poderoso, y después de él hay vigilantes aún más fuertes que le impedirán llegar a su destino. El campesino espera, y así transcurren varios años en los que intenta convencerle y sobornarle, sin éxito. Antes de morir, hace señas al guardián para que se acerque, con el fin de preguntarle cómo es posible que, durante todos esos años, nadie más haya intentado presentarse ante la Ley. El guardián, adivinando que el tipo está a punto de morir, le explica que esa puerta era sólo para él, y que ha llegado el momento de cerrarla.

Imaginémonos ahora a Jerry Lewis en el papel del campesino: tras la negativa del guardián de la puerta, Lewis espera sentado, pero la impaciencia se refleja de manera creciente en su rostro. Primero, unas breves muecas, algún movimiento contenido, ciertas miradas suspicaces y de aburrimiento para más tarde mostrar una gesticulación histriónica, amplios aspavientos mal disimulados, como si el cuerpo del actor no le respondiera mientras trata por todos los medios de evitar delatar su impaciencia creciente O incluso podríamos recurrir a diferentes dúos cómicos para encarnar a la pareja del campesino y el guardián: Richard Pryor como campesino ciego, y Gene Wylder como guardián sordo (en este caso, la incomprensión de uno y otro generaría numerosos gags humorísticos), o también Tip y Coll enredados en un absurdo diálogo cómico sobre cómo entrar en una puerta, o Sancho Panza y Don Quijote discutiendo sobre la trascendencia o la verosimilitud de la escena que ellos mismos estarían protagonizando... La inversión de este juego sustitutorio es más que evidente: el único modo correcto de leer el relato «Ante la Ley» es como un entremés cómico representado por un tándem de humoristas. Eso es exactamente lo que propone el filósofo Slavoj Žižek: el contenido reprimido del relato kafkiano sólo puede ser expresado plenamente si lo ponemos en relación con su complemento obsceno, un chiste. Pero hemos de ir más lejos y afirmar categóricamente que la propia naturaleza de la obra kafkiana *contenía ya* su «opuesto inherente»: por una suerte de giro hegeliano, lo que está realmente reprimido aquí no es el sentido último de aquello que ha de situarse al otro lado de la puerta, *sino la condición estrictamente humorística de la imaginación kafkiana*. Lo siniestro y lo humorístico, por tanto, coinciden, a la espera de ser desvelados y diferenciados por el lector atento.

J. F. G.

AHORA MISMO, SEGURAMENTE ESTÉS PENSANDO.

ENCANTADOS
DE RECONOCERTE.

CLAVES
LA REVISTA DE PENSAMIENTO CRÍTICO
Y AGITACIÓN CULTURAL

Aquí (en esta casa inhóspita) uno se pierde (un poco)

Fernando Castro Flórez

En una conferencia, realizada en 1929, en la Architectural League de Nueva York, Buckminster Fuller advirtió que la «máquina-para-habitar» era, en buena medida, una máquina de mudanzas, lo que viene a convertir la casa en una *ultra-metáfora*. Desde el futurismo italiano hasta Le Corbusier arranca una fascinación por el automóvil, en comparaciones altisonantes con La Victoria de Samotracia o incluso el Partenón que vienen a camuflar el vértigo de la guerra, el oscuro deseo de arrojarse a la destrucción total. Algo inquietante infla(ma) el imaginario vanguardista, como si tuviera la certeza de que el horizonte será catastrófico. Fuller terminó su discurso visionario sobre la casa del ingeniero con una declaración demoledora: «He llegado a la conclusión de que la construcción es responsable de casi todos nuestros males». David Lynch, muchos años después, revelará que su película *Carretera perdida* esta *inspirada* en una frase des-concertan-

te: «Una casa es un sitio donde todo puede ir mal». Aquí tenemos
que retornar a aquella noción de lo *unheimlich* que, según Schelling
señaló, es todo lo que, debiendo permanecer secreto y oculto, se ha
manifestado. Se trata de un concepto que tiene, sin ningún género
de dudas, una procedencia estético-literaria, viniendo a designar el
límite de lo bello. *Unheimliche* es una palabra, en todos los sentidos,
«sospechosa» que, en la deriva de la traducción, termina sedimen-
tándose en nuestra lengua como lo siniestro, pero también acogida
como lo ominoso y perturbador. Inquietante, a fin de cuentas, este
término que tiene la negación dentro de sí y que pertenece al orden
de lo pavoroso, esto es, aquello que genera angustia.

El comienzo, apunta Heidegger en 1935, es lo más pavoroso
y lo más violento: eso es lo *unheimlichkeit* un no-estar-en-su-pro-
pia-casa-originaria. Sin embargo, estamos *acomodados en lo inhóspito* lo que no supone, necesariamente, que hayamos aceptado la
angustia. Heidegger era consciente, sin duda, de ese proceso en
el que resulta casi *imposible habitar,* pero no descartaba que pudiera producirse un acontecimiento que introduzca un *cambio de
tonalidad.*

> Suponiendo –leemos en *Identidad y Diferencia*– que espere a nues-
> tro encuentro la posibilidad de que la com-posición [*Gestell*],
> esto es, la provocación alternante de hombre y ser en el cálculo
> de lo calculable, nos hable como el *Ereignis* que expropia al hom-
> bre y al ser para conducirlos a lo propio de ellos, habría entonces
> un camino libre en el que el hombre podría experimentar de
> modo originario lo ente, el todo del mundo técnico moderno, la
> naturaleza y la historia, y antes de todo, su ser.

La técnica es el medio de la *movilización total,* produciéndose,
por medio de su despliegue, el desbordamiento de cualquier casa y
la aparición de lo inquietante, del *Das Unheimliche.* Sin embargo,
tenemos que tener en cuenta que esa movilización, esa conversión

del mundo en campo de batalla ubicuo, no es meramente lo «disol-
vente» sino que *ahí* puede resplandecer la libertad.

La palabra «emplazar» –indica en el crucial texto «La pregunta
por la técnica»–, en el rótulo estructura de emplazamiento, no
mienta solamente el provocar, al mismo tiempo tiene que conser-
var la resonancia de otro «emplazar» del que deriva, a saber,
de aquel pro-ducir y representar que, en el sentido de la *poiesis*,
hace que venga a darse lo presente. Este pro-ducir que hace salir
delante, por ejemplo, al colocar una estatua en la zona de un
templo, y el solicitar qué provoca, que hemos estado considerando ahora, son sin duda fundamentalmente distintos y sin
embargo están emparentados en su esencia.

Ese traer-delante poético tiene que desbordar lo que tenemos
enfrente en todo momento: la ultrabanalidad catódica, la cimentación de la soledad en Internet, el proceso acelerado de la decepción
política. En el *bunker* se pierde todo heroísmo, en esa arquitectura
ctónica sólo quedan detritus, huellas del miedo, testimonios de que
nuestra época ha sido bautizada por la Gran Demolición.

El *desierto crece*. Lo salvaje –escribe Félix Duque en *El mundo por
de dentro. Ontotecnología de la vida cotidiana*– está ya en el interior.
Pero también, y en el mismo respecto, como una contradicción
viva, somos sedentarios, porque ya da igual dónde vayamos.
Todo va siendo preparado para que en todas partes nos «sintamos en casa», esto es: desahuciados. Baste recordar al respecto
el *slogan* de una conocida agencia de viajes alemana: «Déjenos
que programemos sus vacaciones».

Estamos afectados por el *síndrome de Babel* específico de nuestro
Multiverso, aunque fácilmente tras un *viaje programado* (en los que
hay que ver lo que es *necesario* ver) podemos caer en lo que, vaga-
mente, se llama *síndrome de Estocolmo*, esto es, la familiaridad con los

guías-verdugos e incluso el retorno placentero a la tortura turística como única forma de afrontar el *tiempo muerto*. Tenemos que marcharnos de casa, sea como sea, aunque finalmente el destino termine por ser, sencillamente, deleznable, un cuchitril en el que se consuma una estafa. Porque, en última instancia, los sujetos son conscientes del carácter inhóspito de la *ciudad cainita*. Ese primer hombre, que míticamente amuralla el territorio y cimienta el espacio «habitable», es un delirante, alguien que se desvía del surco. No es raro que encontremos refugio, precarios llenos de miedo, en el búnker, sobre todo cuando se extiende la sospecha de que acaso una casa, a pesar del fuego resguardado en la memoria, no fue nunca un hogar.

> Todo «hogar» –indica Félix Duque– es sentido como tal cuando ya es demasiado tarde: cuando ya se ha perdido. «Hogar» es el lugar de la infancia (de la falta de un lenguaje delimitador y clasificador: dominador), el lugar de los juegos, la prolongación cálida y anchurosa del claustro materno. Y es imposible –y si lo fuera, sería indeseable y decepcionante– volver a él.

La casa, ese lugar, por simplificar al máximo, en el que habitualmente se come, es, en muchísimos sentidos, *lo indigesto*.

La vivienda, como ha advertido Peter Sloterdijk, aparece como generador de redundancia o como máquina de hábito, cuya tarea es dividir en familiares y no familiares la masa de las señales que llegan «del mundo» candidatas a ser significativas. En nuestro estado de arrojamiento (*Gewirfenheit*) generamos el techo común de la inmunidad que es propiamente lo que protege a la comunidad.

> La institución del derecho del amo de la casa –leemos en el monumental volumen *Esferas III* de Sloterdijk– configura el ideal latente de toda inmunidad; suponiendo que se la interpreta como

poder de decisión sobre la admisión o no admisión de lo extraño en el ámbito de lo propio: para lo que ya hay que concebir siempre lo propio como composición de efectividad inmunológica de lo propio y no-propio.

Inmunidad implica una fuerza previsora frente a la fuerza vulnerante: interioriza antes de proteger. La vivienda «da espacio» a lo *unheimlich*, eso familiar reprimido que reaparece de pronto, llevando consigo el rastro de algo maternal. La ambivalencia de lo siniestro es equiparable a la del *fármaco* (veneno y antídoto) y a la de lo *sacer* (sagrado y execrable), una cuestión que podría interpretarse a partir del texto de Freud sobre *El doble sentido antitético de las palabras primitivas* (1910). Sigmund Freud asoció lo *siniestro* al temor a que un objeto sin vida esté, de alguna manera, animado, pero también guarda relación con el pánico ante la posibilidad de perder los ojos, esto es, a ese paradójico *verse cegado*. La obsesión por la castración y la experiencia del doble como retorno de lo mismo apuntalan una suerte de *destino nefasto*, concretado en una criminalidad que no puede desaparecer. Hablando del factor de repetición y de la sensación de inermidad de muchos estados oníricos como algo asociado con lo siniestro, Freud pone un ejemplo que, en realidad, es una fragmento de *su experiencia*:

> Cierto día, al recorrer una cálida tarde de verano, las calles desiertas y desconocidas de una pequeña ciudad italiana, vine a dar a un barrio sobre cuyo carácter no pude quedar mucho tiempo en duda, pues asomadas a las ventanas de las pequeñas casas sólo se veían mujeres pintarrajeadas, de modo que me apresuré a abandonar la callejuela tomando por el primer atajo. Pero después de haber errado sin guía durante algún rato, encontréme de pronto en la misma calle, donde ya comenzaba a llamar la atención; mi apresurada retirada sólo tuvo por consecuencia que, después de un nuevo rodeo, vine a dar allí por tercera vez. Más entonces se apoderó de mí un sentimiento que sólo podría califi-

car de siniestro, y me alegré cuando, renunciando a mis exploraciones, volví a encontrar la plaza de la cual había partido.

El padre del psicoanálisis está encerrado en un laberinto que alude a la cacería visual de las putas en el burdel, una especie de carnaval grotesco en el que él estaría, sin saber cómo, *completamente desnudo*. Ese volver, inconscientemente, a un sitio de una *normalidad inquietante* (finalmente sórdido, lleno de rostros «enmascarados», abismos de un deseo repugnante), acaso sea la revelación de que ese era el *destino deseado*.

Lo siniestro –definido por Freud en su ensayo de 1919–, no sería realmente nada nuevo, sino más bien algo que siempre fue familiar a la vida psíquica y que sólo se tornó extraño mediante el proceso de su represión.

No hace falta, para pensar en lo espeluznante, remitir a la casa habitada por fantasmas ni tampoco a la catalepsia o a la ensoñación de volver al seno materno, podemos, mentalmente, colocarnos en la casa de las perversiones de *Blue Velvet* de David Lynch, en aquel armario desde el que se contempla, voyeurísticamente, la escena sadomasoquista. Ahí, como en el término *unheimliche*, asistimos a la ambivalencia completa: temor y placer, extrañeza y cotidianeidad, miedo a ser descubierto cuanto tal vez esa escena esté representada para aquel que está encerrado, lleno de terror, en el armario. Lo peor es cuando comprobamos que, tras el velo, no hay nada, y terminamos petrificados no por la Medusa sino por el vacío.

Los malos olores del arte contemporáneo

Basta con leer los diccionarios para encontrar que lo *Unheimlichkeit* nos emplaza en «la casa del hombre», aunque ese sea propiamente un *lugar de ausencia*. El hombre es el animal simbólico que sobre el fondo inatacable de la pared de la Nada comienza el trabajo del mito. Como Lacan advirtiera, lo *unheimlich* parte de la *castración simbólica* de «la falta que viene a faltar». Tal vez la gran catástrofe sea *no tener nada en que pensar*. Lo único que permanece es una especie de ronroneo, gestos nerviosos que se agarran a cualquier cosa, la vieja preocupación por ciertos objetos. Recordemos esa sacralidad, establecida en ciertas culturas arcaicas, de ciertos objetos e imágenes en los que deposita cierta *ontología social*, esto es, una certidumbre existencial, imprescindibles para culturas que de ninguna manera tenían asegurado su Ser, sino que más bien experimentaban amenazas perpetuas y, sobre todo, la inminencia de la catástrofe. En el fondo, más allá de la termodinámica social, todo regalo está *envenenado*, forma parte de la *mentalidad retributiva*, de esa cadena en la que el sufrimiento está codificado en una cuenta corriente. A falta, valga el juego de palabras, de *lo que (nos) falta* nos entretenemos en las perversiones. Junto al «infantilismo», que no ajeno a la violencia, en nuestro imaginario se produce una suerte de *monumentalización de la mirada perversa*, en la que aparece un miedo frente al otro o, mejor, una anticipación de la catástrofe inmanente a la dinámica del deseo. Recordemos lo que Lacan llamó *extimité*, designando algo extraño que está en medio de mi intimidad, algo que estaría conectado con el núcleo traumático del goce que designa como *Das Ding*.

> Debido a esta Cosa –advierte Slavoj Žižek en *Mirando al sesgo*–, en cierto punto el amor al prójimo se convierte necesariamente en odio destructivo, de acuerdo con un lema lacaniano: *te amo, pero hay en ti algo que es más que tú, el objeto a, por lo cual te mutilo*.

Conocemos la idea surrealista de la imagen como encuentro de lo heterogéneo (el paraguas y la máquina de coser) sobre la *mesa de operación*, ese mismo «lugar» por el que Artaud decía que había que hacer pasar al cuerpo porque estaba *mal hecho*. Stelarc ha radicalizado la *mutación tecnológica del cuerpo* en un *delirio sintomático* que lleva la deconstrucción a los órganos humanos; sostiene que sólo si ajustamos la arquitectura del cuerpo será posible reajustar nuestra conciencia del mundo.

> Durante mis representaciones –declara ese artista australiano–, empecé a hacerme preguntas sobre *el design del cuerpo humano*, y cuanto más trabajo, ¡más creo que de aquí en adelante el cuerpo será obsoleto!

Detecto algo *siniestro* (familiar y extraño) en ese integrismo de lo *posthumano*, de la misma forma que en el *melodrama* contrautópico de *Blade Runner* (tensado entre la violenta muerte de algunos replicantes como la que es tiroteada y su cuerpo destroza puertas de cristal y las confesiones del que ha visto cosas que nosotros jamás veremos) se desliza el sueño inhóspito de que los juguetes y lo inanimado cobren vida. Desde la experiencia del niño que desnuda a la muñeca, la deja calva e incluso la trocea hasta la violencia caníbal de *La matanza de Texas* hay caminos laberínticos, aunque también atajos, y acaso eso explique por qué en los intermedios de los programas infantiles de dibujos animados se anuncian las películas nocturnas plagadas de asesinatos, pesadillas infectas y sexo «decorativo», como si hubiera que comenzar a *educar para soportar la carnicería*. Algunos artistas reivindican, como hiciera Benjamin, los desechos como territorio fértil para las imágenes. Estamos, casi todos, afectados por el *Síndrome de Diógenes*, acumulando sobre todo basura mental. Sabemos que el ámbito de la cultura está circundado y sometido a la penetración constante de la *inmundicia*. Allan Kaprow, poseído por el furor futurista, declaró que el intercambio verbal por radio entre el Centro de Naves Espaciales Tripuladas de Houston y los astronautas del Apolo 11 ha sido mejor que la poesía contemporánea y, por supuesto que los movimientos aleatorios que los compradores hacen, en un trance inexplicable, en los supermercados son más ricos que cualquiera de las cosas que se han hecho en la danza contemporánea. En una época en la que se *aprendía de todas las cosas y sobre todo de las Vegas*, era normal que se reivindicara la *magia* de lo cochambroso, el placer de lo tirado por el suelo:

> Que el polvo –continua el padre del *happening*– de debajo de las camas y los desperdicios de los vertederos industriales resultan ser ejemplos más convincentes que la reciente oleada de exposiciones que exponen residuos desperdigados por el suelo.

Da la impresión de que hace medio siglo, concretamente en 1966, Kaprow comenzaba a deprimirse al comprobar que toda la historia del arte y de la estética que estaba, literalmente, en lo estantes colaboraba en una «momificación de la vida» y en una pantanosa indistinción:

> Si no hay una clara diferencia entre un *assemblage* de sonidos y un concierto de «ruidos» con suspiros, entonces no hay una diferencia clara entre un artista y un chatarrero.

A lo mejor se trataba de no añadir *más cosas* en el paisaje del arte contemporáneo que estaba repleto. Ben Vautier, presentó, en una obra titulada *El museo de Ben*, entre otras cosas, una concha, algo de madera y un montón de porquería, al lado de las cuales colocó un cartel con el siguiente texto: «Si desde Duchamp es arte todo, ¿significa eso que esto también es arte? Si la respuesta es sí, ¿por qué ir a los museos y no simplemente bajar a los sótanos». En la exposición *Esto es mañana: arte de los sesenta* (montada por la Tate Britain en 2004) se produjo un acontecimiento inquietante aunque bastante familiar: una señora de la limpieza ha confundido una obra de arte con una bolsa de basura. Un día antes de que se inaugurara la muestra, Gustav Metzger, autor de la instalación titulada

Primera demostración pública del arte autodestructivo, se percató de la
ausencia de la bolsa que debía estar junto a un mural de nylon co-
rroído por pintura ácida. Aunque la bolsa de basura fue recupe-
rada del contenedor de la Tate estaba ya tan perjudicada que el
artista decidió «hacer otra». Esa institución tan seria y profesional
ha instruido a su personal de limpieza para que el macabro error
no vuelva a producirse; un portavoz del museo ha exculpado a la
señora, francamente deprimida, que, cumpliendo con su trabajo,
puso las cosas en *su* sitio. «¿Cómo iba a saber –dijo ese sujeto "autorizado"– lo que se suponía que era?». Ciertamente no cabe flage-
lar a esa pobre mujer a la que suponemos azorada después de
haberse *desembarazado* de la escatalógica realidad del arte contemporáneo. Aunque tampoco es el momento para escuchar sus
«disculpas». Los herederos de la *mierda de artista* de Manzoni sien-
ten que los restos malolientes son todavía difíciles de «gestionar»,
acaso hay que ir preparándose para un digestión escatológica.

Constantemente aparece en la estética contemporánea lo esca-
tológico o, en otros términos, lo imposible de limpiar: *indécrottable*,
algo que introduce una anomalía mayor que lo *indecoroso*. En el se-
minario sobre la mirada, Lacan postula que ésta pre-existe al sujeto que la viene a percibir como una amenaza, como si le
interrogara, hasta puede llegar a simbolizar la carencia expresada
en el fenómeno de la castración. Algunas formas del arte rechazan
el viejo mandato de pacificar la mirada, prefiriendo que el objeto se
levante con su carga de horror o con el deseo pulsátil de esa *realidad*. Respondiendo a una cuestión sobre la relación entre el gesto y
el instante de ver, Lacan ofrece de repente un argumento que tiene
algo de interpolación:

> La autenticidad de lo que sale a la luz en la pintura –sugiere
> en *Los cuatro conceptos fundamentales del psicoanálisis*– está menos-
> cabada para nosotros, los seres humanos, por el hecho de que

sólo podemos ir a buscar los colores donde están, o sea, en la
mierda.

No dejemos de lado el ároma de lo siniestro o, convocando
sórdidamente embriagados, la condición *Heimlich* del retrete. Recordemos la «anécdota» del wáter de oro que Maurizio Cattelan
instaló en el Guggenheim de Nueva York y que luego, con re-co-
chineo (nunca más oportuno el término) fue ofrecido a Donald
Trump para que sirviera como «decoración» de lujo. en La Casa
Blanca. En el resto, en la *parte maldita,* hay una verdad que escapa a las presiones de la lógica racional; lo abyecto reclama, aunque parezca sorprendente el tacto, lo repugnante y asqueroso,
puede ser tremendamente sensual. Lo siniestro es lo fantástico en-
carnado, ese ámbito anómalo en el que los deseos están bañados de
temores primordiales. Mike Kelley, un artista radical que comisa-
rió la muestra *The Uncanny* (Tate Liverpool, 2004), se sentía orgu-
lloso porque, según dice, se cagaba en los pantalones. Parece que
en el *desastre estético actual* hay un especial amor a los genitales pero
también una especie de pánico frente a lo radicalmente *otro,* semejante a la obsesión del neurótico que contempla el sexo femenino
como algo absolutamente siniestro:

> Pero –advierte Freud– esa cosa siniestra es la puerta de entrada
> a una vieja morada de la criatura humana, al lugar en el cual
> cada uno de nosotros estuvo alojado una vez, la primera vez. Se
> suele decir jocosamente *Liebe ist Heimweh* («amor es nostalgia»),
> y cuando alguien sueña con una localidad o con un paisaje, pen-
> sando en el sueño: «esto lo conozco, aquí ya estuve alguna vez»,
> entonces la interpretación onírica está autorizada a reemplazar
> ese lugar por los genitales o por el vientre de la madre. De modo
> que también en este caso lo *unheimlich* es lo que otrora fue *heimsch,*
> lo hogareño, lo familiar desde mucho tiempo atrás. El prefijo

negativo «*un-*» («in-»), antepuesto a esta palabra, es, en cambio, el signo de la represión.

Acaso tras ese portón duchampiano (*Étant donnés*) que nos incita al voyeurismo no esté solamente la materialización de la antigua fascinación por la micción de su hermana, sino los restos de un crimen, el ejemplo de la hiancia del sujeto inconsciente. Cuando uno mira a los ojos del criminal *parece que no hay nadie en casa*, de la misma manera que cuanto uno contempla el cuerpo despedazado, sosteniendo la lámpara que ilumina un paisaje pintoresco no encuentra ninguna *interioridad*: todo está en un afuera inhóspito.

Cuando el tiempo deja de ser interesante

«Ojalá vivas en tiempos interesantes» resulta que pueda no ser lo que creíamos: una maldición china. Ralph Rugoff rescata esta frase que, según parece, pronunció Robert F. Kennedy cuando viajó a Sudáfrica en 1966. Lo que le «interesa» a este *curador* es mostrar obras que ofrezcan «un lugar para reflexionar sobre la complejidad del ser humano», asumiendo los tremendos problemas que tenemos y también con la lúcida toma de conciencia de que desde este dominio artístico es muy poco lo que se puede hacer para cambiar la situación. Después de la inanidad tediosa que desplegó Christine Macel en la Bienal de Venecia del 2017, bajo el patético título de «viva arte viva», en las antípodas del recitativo (pretendidamente) marxista que propició Okwi Enwezor en el 2015 y con el recuerdo entusiasta del *giro fringe* que, con enorme lucidez, desplegó Massimiliano Gioni en su «Palazzo» enciclopédico (2013), la propuesta de Rugoff se queda en tierra de nadie: ni provocadora ni banal, con poca energía crítica aunque haga guiños a «temas candentes».

Aunque Rugoff declaró que no pretendía plantear «un tema» en la Bienal, tratando de escapar de la «inflación discursiva», tampoco renuncia a las *cuestiones políticas*, como es evidente en piezas como el muro rematado por alambre de espino de Teresa Margolles o en el barco que naufragó en 2015 en el Mediterráneo causando la muerte a setecientos migrantes, colocado por Christoph Büchel en uno de los espacios exteriores de la zona del Arsenale. La cruda alusión a las políticas «bunkerizadas» de Trump, a la violencia contra las mujeres y a la brutalidad de los cárteles de la droga, está reforzada por la vecindad de la instalación de Suan Yuan y Peng Yu con ese brazo robótico que parece remover sangre. Frente al *testimonio crítico* de Margolles, el *ready-made* que recuerda la trágica muerte de los que buscaban una vida mejor adquiere un tono cínico, resultando inadmisible incluso el título de *Barca nostra*. Apropiarse del dolor de los demás con este monumentalismo pseudo-comprometido solamente puede servir para apuntalar la compasión «neoliberal», el discurso vacuo de la toma de conciencia frente a los «males del mundo» que lleva, a la postre, a dejar que todo siga rumbo a peor. Con toda justicia poética se ingresa en el Pabellón central de los Giardini a través de la niebla artificial que ha generado Lara Favaretto. Rugoff eligió la frase de los tiempos interesantes, según cuenta, porque «quería optar por un tema que no sonara demasiado negativo», esto es, no quería añadir gasolina al incendio. Esto no quiere decir que no termine vendiendo humo. Slavoj Žižek recuerda en una de las conversaciones de *Pedir lo imposible* que en China le dijeron que la frase «¡Espero que vivas en tiempos interesantes!» se la habían oído a occidentales: «Es típico atribuir algo a alguien y luego, cuando hablas con él, resulta que no sabe nada del tema».

Casi un siglo después de que Heidegger indicara que el aburrimiento es una tonalidad ontológica fundamental, hemos consumado la *depresión espectacular*: un carnaval global que no produce ni diversión ni, por supuesto, lo diverso. La *happycracia* no puede ocultar su cimentación «farmacológica», devenido todo ese *storytelling del emprendedor* un impulso (inconsciente) a tornarnos estrictamente bipolares (maniaco-depresivos) o sintomatológicamente «localizados» en el *déficit de atención* (en una hiper-actividad que, literalmente, nos desactiva en el sedentarismo de las redes). Arrastrados por la *turistificación* (encarnando ese «sonambulismo social» del que hablara Gabriel Tarde) no tenemos ya ni «interés» en los *souvenirs*.

No podemos seguir caminando sobre el abismo como si fuéramos el coyote, riduculizado en *loop* o comprimido en un *gif* por el correcaminos. Tampoco, salvo si somos delirantes a carta cabal, estamos en condiciones de comulgar con las ruedas de molino de la «paradoja de Easterlin», excrecencia pastelera del discurso buenrollista que nos vende el arcoíris de la felicidad personal como utopía de «temporada», mientras la *slow violence* globalizadora sigue reduciendo las periferias a la condición de *waste land*. Hemos experimentado, en cierto sentido, lo *siniestro histórico*, una experiencia colectiva ante sucesos inaceptables como son las «demoliciones» del 11 de Septiembre del 2001 (el atentado de las Torres Gemelas y el posterior despligue de la llamada «guerra contra el terrorismo» que no es otra cosa que el *estado de excepción planetario*) y del 9 de septiembre (la caída de Lehman Brothers como imagen inicial de la crisis financiera que sirvió para imponer el «austericidio» neoliberal). No es irónico, como apunta W.J.T. Mitchell, que cuando tuvo lugar el derrumbe del sistema financiero mundial, el artista Damien Hirst subastara un becerro de oro macizo, símbolo de la codicia, el materialismo y la idolatría.

Y la nave va

Con su astucia habitual Banksy «apareció» en Venecia durante las jornadas inaugurales de la Bienal; plantó, sin permiso, sus «bártulos de pintor callejero» cerca del Puente de los Suspiros como si quisiera vender unos cuadritos que componían el paisaje más imponente de esa ciudad que, en todos los sentidos, «se hunde»: un imponente crucero que se levanta por encima de todos los venerables monumentos. Unos días después, como si todo *remara a favor de la coherencia en la estética del desastre*, un crucero perdió el control en el canal de la Giudecca y arremetió contra otro barco turístico de menor tamaño. Da la impresión de que todas esas «embarcaciones interesantes» no tienen otro destino que el *naufragio*. Casi un año después de que el penoso «dibujo» de la niña con globo de Banksy se «autodestruyera» en una subasta de Sotheby's, resulta que vuelve a salir a la venta en Christie's, en una especie de *resurrección con recochineo*. El título de la pieza lo dice todo: *No puedo creer que los imbéciles realmente compren esta mierda*. Como Ernst Jentsch sugiere en su ensayo «Sobre la psicología de lo *Unheimlichen*», la mayoría de los hombres se apoyan en lo «heredado» y tienden a revelar franco *misoneísmo*, una aversión casi patológica hacia lo nuevo que pueda socavar sus cómodas *certezas*. Desde hace tiempo tenemos un ejemplo de insurgencia estética que podría denominarse *la política Bartleby*. Tenemos que tener claro que poner fin a la falsa actividad no es ni una tarea del duelo ni un mero *private joke*. La ironía solamente se puede usar en situaciones de emergencia porque si se prolonga en el tiempo puede transformarse en la voz de los condenados a quienes termina por gustarles su celda. La ley simbólica sólo está interesada en mantener las apariencias y nos da libertad para explayarnos con nuestras fantasías, siempre y cuando no traspasen los límites del dominio público, a saber, cuando apuntalan *el orden de las cosas*. Estamos viviendo, nauseabundamente, «el día de la marmota», un eterno retorno de lo siempre igual (sin drama, ridículo y, a la vez, fruto del cinismo post-ideológico) que hace que el «fracasa mejor» beckettiano termine por estar desbordado en el empantanado «hacer que se hace».

Mientras en la Bienal de Venecia seguían «jugueteando» con *embarcaciones siniestras*, este verano los turistas de la playa de Lampedusa tuvieron frente a sus ojos el barco de Open Arms. «La catástrofe –dice Michael Mann– parece ser algo abstracto, perdido en la lejanía... hasta que finalmente se presenta ahí delante». Asistimos al retorno abrumador de la *desigualdad*.

Liquidación total

El *capitalismo de la externalización*, como advierte Stephan Lessenich, no conoce límites inmanentes y se parece a unas permanentes rebajas de enero de los valores: su lema es «liquidación total». Hay, literalmente, que acabar con todo. Sloterdijk sostiene que la llamada sociedad de consumo y acontecimiento se inventó en el invernadero, en aquellos pasajes con techo de cristal de comienzos del siglo XIX, en los que una primera generación de clientes vivencia aprendió a respirar el aroma embriagador de un mundo interior cerrado de mercancías. Aunque tengamos lo que Benjamin calificó como «manía hogareña», en realidad tenemos *horror domiciliario* y preferimos estar en un sitio tan inhóspito como el Centro Comercial que, tal y como sugiere Georges A. Romero en *La noche de los muertos vivientes*, el «lugar de la memoria» de los zombis. Gracias al aire acondicionado disfrutamos del gran ejemplo de *espacio basura* (apropiadamente descrito por Reem Koolhass) y asumimos gozosamente nuestro papel de *post-flaneurs* en el paisaje de la precariedad que «nos consume». En la conferencia de Fuller que abría este texto al modo de un McGuffin, se venía a proponer la construcción de casas como «máquinas con el valor de reutilización» que pudieran ser montadas en cualquier parte.

Si usted ha vivido algunos años en una casa así y quiere emprender una gira por Europa, mande una nota a una lavandería; le llamarán, recogerán la casa, la lavarán y limpiarán, la plancharán y volverán a montar, y cuando usted regrese estará en una nueva casa.

Buena recomendación para la época del *unhomeliness* (esa traducción «literal» de *Unheimlichkeit* que propone Anthony Vidler en *The architectural Uncanny*), delirante conversión de la vivienda en vestimenta. En realidad lo que tenemos que *planchar* es al otro que, como afirmó provocadoramente Žižek, siempre huele mal. Nuestra vida líquida, espumosa y burbujeante requiere de toda una *lógica de la inmunidad* que regule aquel «amontonamiento poroso de elementos» que según Gabriel Tarde determina a la sociedad cuya conexión capital consiste en no contradecirse.

El prójimo *está de más*, topológicamente «demasiado cerca». No podemos olvidar que *Das Unheimliche* acaso tenga su mejor *traducción*, como Jacques Lacan sugiere, con la palabra *exilio*. La historia de la humanidad podría caracterizarse como la mutación de la hospitalidad en hostilidad. Lo siniestro nos recuerda al «huésped-indeseado», materialización fantasmal de la fobia al otro pero también manifestación de nuestro tremendo desamparo.

La sentencia de Petronio «*Primus in orbe Deos fecit timor*» (el temor creó primero a los dioses) resuena en la contemporánea *política del miedo*. Aunque Dios, nietzscheanamente hablando, haya muerto, su fantasma no deja de atenazarnos y, por supuesto, no hemos prescindido de la tela de araña «gramatical» que nos sujetaba o, para ser más preciso, nos encadenaba a la deuda, la culpa y la mala conciencia. Sobrevivimos, a duras penas, en estancias inhóspitas, allí donde se produce la re-velación objetual, dominados por la angustia que surge cuando experimentamos «el exilio de mi subjetividad». Tendríamos que haber leído *Los elixires del diablo* de Hoffmann, aunque también sabemos, como indicó Freud, que «aquí uno se pierde un poco». Tal vez debamos arriesgarnos en ese laberinto fantasmal (manteniendo en la memoria el final de *El Resplandor* de Stanley Kubrick) y experimentar en la pérdida (de la hostilidad) el retorno de lo reprimido (la hospitalidad). Antes de que estemos completamente liquidados, desahuciados en nuestra «propia» casa.

F. C. F.

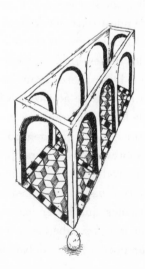

Transición Energética en España: energías renovables *vs.* energías de origen nuclear y fósil

Fundación Ramón Areces

«El almacenaje de energía debería al menos duplicarse en el plan que el Gobierno español ha remitido a las instituciones comunitarias para hacer un uso más extenso de las fuentes renovables». Así lo ha manifestado José M. Martínez-Duart, presidente del Grupo Especializado de Energía de la Real Sociedad Española de Física (RSEF), en una conferencia celebrada en la Fundación Ramón Areces. Se refiere Martínez-Duart al denominado Plan Nacional Integrado de Energía y Clima (PNIEC) que el Ejecutivo español ha remitido a Bruselas. Este programa marcará las políticas a seguir en la denominada Transición Energética en España durante la década 2020-2030 con el objetivo principal de la descarbonización.

Para Martínez-Duart, de este modo, las energías renovables representarán, en 2030, alrededor del 73 por ciento de todo el mix eléctrico. Evidentemente, un plan de esta envergadura ha sido excelentemente acogido por varias organizaciones internacionales preocupadas por el cambio climático, calificándolo algunas de ellas como «el mejor de todos los presentados por los países de la UE». En términos generales, el profesor Martínez-Duart se ha mostrado a favor de las líneas maestras del PNIEC 2020-2030, pero ha admitido que un plan de tal magnitud podría encontrarse con algunos problemas en su desarrollo. El plan contempla unas inversiones necesarias estimadas en 125.000 millones de euros, que deberá asumir de forma mayoritaria el sector privado. Pero, como ha corregido este experto:

> En lo que respecta a los precios de la generación por renovables, el coste no tiene por qué ser el considerado *lcoe* utilizado hasta ahora, sino que a menudo se tendrían que añadir los costes de almacenamiento energético, completamente necesario para una integración de renovables tan elevada como el 74 por ciento.

El problema más importante que encuentra Martínez-Duart es si va a haber tiempo suficiente para que en unos diez años, aproximadamente hasta el año 2030, se pueda sustituir toda la generación mediante carbón, seguida en el período 2027-2030 por la clausura de cuatro de los siete reactores nucleares actualmente en funcionamiento. Tal y como ha explicado:

> Habría que sustituir en diez años alrededor del 30 por ciento de la generación total producida a partir del carbón y nuclear por energías renovables. Pero el problema no está en las cantidades, sino en que, por ejemplo, la generación mediante carbón es gestionable, es decir, el combustible siempre está ahí dispuesto a ser utilizado. Además, la energía nuclear funciona continuamente, excepto en los períodos de paro para su mantenimiento. Por el contrario, tanto la energía eólica como la solar son «no-gestionables».

Y añade:

> Podemos imaginarnos épocas, como algunos días de invierno, en los que haya poca energía solar, que coincidiesen además con días de poco viento (anticiclones de invierno). En estas situaciones, un sistema basado en alrededor de un 70 por ciento de energía solar y eólica podría no ser suficiente. Por el contrario, imaginemos algunos días a finales de primavera con una energía solar excelente (las células solares tienen una mayor eficiencia si la temperatura no es alta) y con vientos fuertes. Entonces podría haber situaciones donde sobraría mucha energía, más de la que pide la demanda. Esto que ya ha ocurrido en países como Alemania da ocasión a lo que se denomina precios negativos de la electricidad.

Con el objetivo de evitar estas situaciones se recurre al almacenaje de energía sobrante que es posteriormente utilizada en los períodos de carencia. Para el profesor Martínez-Duart:

> Precisamente uno de los pocos puntos en que discrepamos con las magnitudes presentadas por el gobierno es respecto a los sistemas de almacenaje. Según nuestros cálculos, el almacenaje se debería al menos duplicar, especificando además tanto la potencia como la energía que los sistemas son capaces de almacenar.

En su opinión, los desafíos a los que se enfrenta el plan propuesto por el gobierno son de tal magnitud financiera y de cambios tecnológicos que se podría ver ralentizado en el tiempo. Si esto fuera así, es de la opinión de retrasar unos pocos años el parón nuclear por varios motivos: la energía nuclear no genera emisiones de CO_2 y se retrasarían además los costes del parón nuclear, especialmente del almacenaje de los residuos. Según su criterio:

Esto implicaría una extensión de unos pocos años adicionales de la vida útil de los reactores, tal y como ya se ha hecho en alrededor de 140 reactores localizados en otros países.

Por último, y como aspecto muy positivo, este experto ha aplaudido la constante mención que se hace en el PNIEC de dotar a los sistemas de generación y distribución de la electricidad con la suficiente inteligencia, aplicando las técnicas de digitalización más avanzadas y las *smart grids*. Además, ha concluido:

> Las normativas que se están publicando sobre el autoconsumo y la generación distribuida nos parecen muy apropiadas para lograr con éxito la Transición Energética en España.

F. R. A.

Poemas

Paula Meehan

LA DEDICATORIA

«Honrad el polvo...» escribió Gary Snyder
en mi vieja edición de *No Nature*
antes de que Bella, nuestra amada perra,
le hincara los dientes. Manoseado ahora
bien mascado, muy anotado, ocupa espacio
en la estantería torcida junto
a la cuidada caja donde descansa su meneo,
su ladrido, su gruñido, su chupeteo, su rapto
de devoción –honramos su polvo.

THE INSCRIPTION

«Honour the dust...» wrote Gary Snyder/ in my old copy of *No Nature*/ before
Bella, our beloved dog,/ got her teeth into it. Now dog eared/ well chewed, much
annotated, it sits/ on a bockety shelf right beside/ the well made box wherein lies
her wag,/ her bark, her growl, her lick, her rapture/ of devotion –her dust we
honour.

SEMILLA

El primer día cálido de primavera
salgo al jardín desde la oscuridad
de una casa donde había muerto la esperanza
a calibrar el daño de la tormenta, a buscar
lo que habría sobrevivido. Y al encontrar altramuces
olvidados de las semillas que sembré el último otoño
cada uno sujeta en sus dedos una gota de agua
como una ofrenda pacífica, o una promesa,
estoy de improviso agradecida y ofrecería
una oración si creyera en Dios.
Aun sin creer, bendigo el poder de la semilla,
su útil, distendida persistencia,
y bendigo el poder del sol,
su conspiración con la tierra,
y agradezco a mis estrellas el final del invierno.

SEED
    The first warm day of spring/ and I step out into the garden from the gloom/
of a house where hope had died/ to tally the storm damage, to seek what may/
have survived. And finding some forgotten/ lupins I'd sown from seed last au-
tumn/ holding in their fingers a raindrop/ each like a peace offering, or a promise,/
I am suddenly grateful and would/ offer a prayer if I believed in God./ But not
believing, I bless the power of seed,/ its casual, useful persistence,/ and bless the
power of sun,/ its conspiracy with the underground,/ and thank my stars the
winter's ended.

AUBADE

A partir de una imagen de Joan Miró

Y entonces nos vestimos para el sol de junio.
Me das un pajarillo que me proteja
que cante una canción sólo para mí.
En la esquina nos separamos; giro
por la ciudad como una peonza,
por las calles cálidas.
Nada puede dañarme.
Nada me molesta.
Ni siquiera la fruta tántrica de Moore Street,
las manos cóncavas del mendigo,
los hombres de traje gris,
las mantenidas de los ricos,
los hombres con la violación en sus corazones,
las tristes colas del paro,
el cura sudoroso de negro,
los negocios turbios de nuestros gobernantes,
la prisionera en su infecto agujero de celda,
la carcelera y sus llaves chirriantes,

AUBADE
After an image by Joan Miró
    And then we dress for the June sun./ You hand me a small bird to guard me,/ to make a song only I can hear./ We part on the corner; I spin/ like a top through the city,/ through the hot streets./ Nothing can harm me./ Nothing disturb me./ Not all the tantric fruit on Moore Street,/ the beggar's cupped hand,/ the grey-suited ones,/ the kept ladies of the rich,/ the men with rape in their hearts,/ the dole queues blues,/ the priest sweating in black,/ the sleazy deals of our rulers,/ the prisoner in her pox hole of a cell,/ the warder and her grating keys,/

el curioso arte del embalsamador,
los rayos de un dios católico,
las lágrimas inútiles de su madre.
Me has dado un pajarillo
que me proteja, que me cante canciones rotatorias,
el regalo de nuestro viaje
y un lugar seguro donde descansar.
Me quedo en ese centro,
el lugar tranquilo que me ofreces,
igual que cualquier mujer
con un pájaro frente al sol.

the embalmer's curious art,/ the thunderbolts of a Catholic god,/ the useless tears
of His mother./ You've given me a small bird/ to guard me, to sing me spinning
songs,/ the gift of our journey/ and a safe place to rest in. / I stand in that centre,/
the still place you grant me,/ just like any other woman/ with a bird in front of the
sun.

CENIZAS

La marea entra; la marea sale de nuevo
lava la playa limpia de lo que vertió
la tormenta. Donde hubo rocas, hoy hay arena,
donde arena ayer, hoy rocas descubiertas.

Así imagino dónde sus restos mortales
pudieran tocar tierra en sus transmutaciones,
un año ya que los repartí con mi mano
–deseando parar el inexorable reloj.

Ella que murió de su propia mano no puede conocer
el amor puro que tengo por lo que dejó
atrás. No pude salvarla. No pude intentarlo
siquiera. Miro cómo el viento
insufla vida a las velas sueltas: la tensión de la urdimbre contra la trama
levanta la embarcación detenida, la empuja hacia fuera.

ASHES
    The tide comes in; the tide goes out again/ washing the beach clear of what
the storm/ dumped. Where there were rocks, today there is sand;/ where sand
yesterday, now uncovered rocks.// So I think on where her mortal remains/ might
reach landfall in their transmuted forms,/ a year now since I cast them from my
hand/ –wanting to stop the inexorable clock./ She who died by her own hand
cannot know/ the simple love I have for what she left/ behind. I could not save
her. I could not/ even try. I watch the way the wind blows/ life into slack sail: the
stress of warp against weft/ lifts the stalling craft, pushes it on out.

AUTOBIOGRAFÍA

Acecha entre banderas amarillas.
La veré, si miro por encima del hombro,
caminar orgullosa, arpón en mano.
La necesito tanto –
aunque su fuerza emerja
de la inocencia o la ignorancia. Con ella puedo tumbarme
a la sombra de los álamos, enroscada
en un sueño fetal sobre su regazo, chupar
su leche de fuego que me hace volar.
Su cara es mi propia cara impoluta;
los ojos lagos salados, reflejan liquen,
nubes densas; la piel dorada
como seda acuosa. Me guía hacia hierbas curativas
en las lindes del campo. No habla
ninguna lengua que yo reconozca.
Es madre para mí, tan joven como
para ser mi hija.
La otra aguarda en setos sombríos.
De noche se abalanza. Sabe que no tengo opción.
Dice: «Soy tu futuro.
Mira mi cuello, igual que un pollo
viejo para la cazuela; muda mi piel
en copos secos. ¿La oyes crujir?

AUTOBIOGRAPHY
    She stalks me through the yellow flags./ If I look over my shoulder I will catch her/ striding proud, a spear in her hand./ I have such a desperate need of her –/ though her courage springs/ from innocence or ignorance. I could lie with her/ in the shade of the poplars, curled/ to a foetal dream on her lap, suck/ from her milk of fire to enable me fly./ Her face is my own face unblemished;/ her eyes seapools, reflecting lichen,/ thundercloud; her pelt like watered silk/ is golden. She guides me to healing herbs/ at meadow edges. She does not speak/ in any tongue I recognise./ She is mother to me, young/ enough to be my daughter.// The other one waits in gloomy hedges./ She pounces at night. She knows I've no choice./ She says: «I'm your future./ Look on my neck, like a chicken's/ too old for the pot; my skin moults/ in papery flakes. Hear it rustle?/

Mis ojos son inmensas heridas
de tumbas recién abiertas. No me levantes
la nariz, señora.
Podrías necesitarme aún.
Soy tu billete al subsuelo». Y sí,
la he amamantado con mi propio pecho.
Respiré hondo su personal hedor –
la peste a urinario de estación de tren,
a vómito de hora de cierre, a las colas para la sopa
y a las tiendas de caridad. Habla
con voz humana y yo la comprendo.
Para ella soy madre, tan joven como
para ser su hija.

Estoy de pie en un campo de paja –mediodía, pleno verano,
mi cumpleaños. De un pecho
fluye la Vía Láctea, el camino estrellado,
del otro una gota de pus, lenta.
Cuando me largue volveré la vista
una vez, para ver mi cascarón hundirse en la hierba.
Geranios y salicarias derramarán
semillas encima, como una bendición.

P. M.

Traducción: *Julia Piera*

My eyes are the gaping wounds/ of newly opened graves. Don't turn/ your nose
up at me, madam./ You may have need of me yet./ I am your ticket underground».
And yes/ she has been suckled at my own breast./ I breathed deep of the stench
of her self –/ the stink of railway station urinals,/ of closing-time vomit, of soup
lines/ and charity shops. She speaks/ in a human voice and I understand./ I am
mother to her, young/ enough to be her daughter.// I stand in a hayfield –midday,
midsummer,/ my birthday. From one breast/ flows the Milky Way, the starry
path,/ a sluggish trickle of pus from the other./ When I fly off I'll glance back/
once, to see my husk sink into the grasses./ Cranesbill and loosestrife will shed/
seeds over it like a blessing.

El incesante ritmo de la conciencia en las «canciones rotatorias»

Considerada como una de las voces más importantes de la poesía irlandesa actual, Paula Meehan (1955) vivió su infancia y juventud en dos
barrios obreros de Dublín. Estudió Historia y Civilización Clásica, Teatro Griego y Etimología en Trinity College y en Eastern Washington
University. Años después escribiría varias obras de teatro para niños y
adultos –The Voyage (1997), Cell (1999), The Wolf of Winter (2003-2004)–.
En 2008 reunió sus historias radiofónicas en Music for Dogs. Impartió ta-
lleres literarios en cárceles y universidades, y ha colaborado también con
artistas visuales, compañías de danza contemporánea y cineastas. Pero es
en la poesía donde encuentra su medio de expresión más intenso. Autora
de seis libros de poemas entre los que destacan la antología Mysteries of the
Home (1996), Painting Rain (2009) o el más reciente Geomantic (2016), ha
sido traducida al francés, alemán, gallego, japonés, estonio o griego, y
reconocida con premios como el Marten Toonder Award for Literature,
The Butler Literary Award for Poetry o el Denis Memorial Award. Entre
2013 y 2016 fue distinguida como Ireland Professor of Poetry. Es miembro de Aosdána, asociación irlandesa de artistas, escritores y músicos y
está casada con el también poeta Theo Dorgan.
    La selección de poemas que presentamos en esta entrega recoge algu-
nos de sus motivos, temas y rasgos estilísticos más significativos. Lo auto-
biográfico, pero no como ejercicio solipsista o privado, sino como caja de
resonancia de un «discurso público» que quiere incidir sobre la sociedad
contemporánea; la constante referencia de su infancia y adolescencia en
Dublín como temprana toma de conciencia de las desigualdades impues-
tas por el género o la clase social; la persistencia de la muerte y el poder
de la memoria; la presencia recurrente de la ausencia temprana de la
madre y de la abuela; la familia, la comunidad, su mirada «ecofemi-
nista»... la fuerza de la naturaleza y su capacidad regeneradora, que en
sus versos parece respirarse como «panteísmo naturalista», como tabla de
salvación, donde las «hierbas curativas», las semillas y el sol, conspiran
con la tierra para venir a restañar las heridas de la realidad. Poemas en
los que con cuidadoso y personal pulso interno, con precisos engranajes
verbales, reproduce el «inexorable reloj del tiempo», pero también la capacidad de la poesía para registrar instantes sin minutero, el incesante
ritmo de la conciencia en las «canciones rotatorias».

                                                            J. P. / A. I. S.

■ ÓPERA

El final del imperio

Capriccio. Música: Richard Strauss (1864-1949). *Libreto:* Richard Strauss y Clemens Krauss, basado en la idea original de Stefan Zweig. Estreno en el Teatro Real de Madrid. Coproducción Teatro Real con la Opernhaus de Zürich. Orquesta Titular del Teatro Real (Orquesta Sinfónica de Madrid). *Dirección musical:* Asher Fisch. *Director de escena:* Christof Loy. *Escenógrafo:* Raimund Orfeo Voigt. *Iluminación:* Franck Evin. *Figurinista:* Klaus Bruns. *Coreógrafo:* Andreas Heise. *Intérpretes:* Malin Byström, Josep Wagner, Norman Reinhardt, André Schuen, Christof Fischesser, Theresa Kronthaler, John Graham-Hall, Leonor Bonilla, Juan José de León, Torben Jürgens, Gerardo López, Tomeu Bibiloni, Pablo García López, David Oller, Sebastià Peris, Emmanuel Faraldo, Manuel Gómez Ruiz, David Sánchez, Elizabeth McGorian, Julia Ibáñez, Clara Navarro. *Lugar:* Teatro Real de Madrid. *Fecha*: 27 de mayo al 14 de junio de 2019.

*C*apriccio, que sería la última ópera de Richard Strauss, se estrenó en la Ópera Real de Múnich el 28 de octubre de 1942, en plena Guerra Mundial. Era el año de máxima extensión del Tercer Reich y también el comienzo de su repliegue, en El Alamein y Stalingrado. La ciudad guardaba toque de queda y sus calles se oscurecían de noche para evitar los bombardeos. Los que decidieron concurrir al evento debían llevar linternas de bolsillo para orientarse. La escasez de elementos dificultó la puesta en escena y la difusión de la obra. Poco después, el teatro sería destruido por un ataque aliado y, por la misma causa, se suprimió su estreno berlinés.

Aparentemente, el clima bélico se prestaba poco a una historia de apacible galantería intelectual ubicada en la Francia de los Luises. O, acaso por lo mismo, resultaba un ansiolítico para las tensiones y los horrores de la contienda. En otros aspectos de la pequeña historia, ocurría algo similar. Strauss había presentado años antes *La mujer silenciosa*, con libreto de Stefan Zweig sobre una pieza del barroco inglés debida a Ben Johnson. El compositor se empeñó, contra la censura nazi, en que el nombre del escritor figurase en el programa pero tras las primeras funciones surgió la prohibición. Sin ser hitlerista, Strauss gozó del favor dictatorial aunque con vaivenes. Debió dejar la dirección de la Academia y gestionar la protección de su nuera judía y sus nietos.

En 1934, Zweig, también judío y ya exilado, le propuso trabajar sobre un texto del abate Giovanni Battista Casti que, en 1786, había servido para la ópera de Antonio Salieri *Prima la música e poi le parole*. Visto lo visto y por razones obvias, Strauss declinó el ofrecimiento aunque siguió interesado en el asunto.

Se encargó el trabajo textual a Joseph Gregor, un poeta aparatoso y bombástico que presentó en 1939 un libreto intratable para el músico. No han quedado huellas de él aunque sí un frondoso epistolario entre los dos escritores –el permitido y el prohibido– el compositor y quien sería el definitivo letrista, Clemens Krauss, director de orquesta a quien Strauss llamada «mi amada batuta». Entre ambos había más que amistad y profesión, pues compartían el amor de Viorica Ursuleac, esposa de Krauss. Este trío no es ajeno a la historia que cuenta *Capriccio*, la disputa entre un escritor y un músico por el favor de una condesa, que muy probablemente se habrá de conciliar si ella admite que se junten para hacer una ópera en su honor. En fin: Strauss compuso, Krauss escribió las palabras y dirigió el estreno, que fue protagonizado por la Ursuleac.

La reunión no resultó del todo feliz. Krauss no era libretista. Strauss, que metía mano cuanto podía, tampoco. El texto es una pieza inabordable a la composición. Su género de «conversación en música» no llega a ser un *dramma giocoso*, ni una *opera buffa*, ni una comedia de costumbres ni todo lo contrario. Es una suma de discursos pedantes y llenos de doctrina y reflexión acerca de la relación armoniosa o discordante entre ambas artes, el amor, la belleza eterna, el divismo, la ópera italiana, el arte teatral, el público de las artes, la disputa entre Gluck y Piccini y suma que sigue, todo sobre una historia difusa e inconcluyente que en vez de situaciones propone disertaciones. Los personajes saben demasiado de sí mismos y de todo lo demás como para dejar espacio a la música, que aparece como un resuello en la introducción, un intermedio y un nocturno, acaso lo más rescatable de la partitura, junto con el soneto que compone Flamand, el músico ficticio, y el monólogo final de Madeleine, la protagonista. Es uno de los habituales soliloquios straussianos confiados a una voz femenina y que descuellan no sólo aquí sino también y anteriormente en las voces de Electra, Salomé, la Mariscala de *El caballero de la rosa* y Dafne.

El resultado es cuidadoso y árido, empujado durante dos horas y media sobre la habitual maestría instrumental straussiana, una de las más notorias del siglo XX, bien que obra de un compositor del siglo XIX. En efecto, el autor fue un heredero escénico del wagnerismo y recogió del fundador el gusto por un entramado orquestal denso y minucioso unido al gusto por libretos de una igualmente densa calidad literaria, propicios a la lectura más que al canto. Ciertamente, si una escritura es exhaustiva y autosuficiente ¿qué puede hacer la música con ella, más que servirla o apabullarla? Quizá por ello, el tema de la discutible primacía de la letra sobre el sonido musical o viceversa, animó a Strauss a volcarse en esta historia donde un sutil erotismo dieciochesco se une a la discusión conceptual. ¿Sobrevive como tal la palabra cuando es cantada o es transfigurada en otra cosa? ¿Se le ocurren al músico las melodías que luego rellena de sílabas o le sobreviene la música por sugestión del verbo? La respuesta no es teórica sino pragmática: la obra se consigue o no se consigue y, al punto de iniciarla, queda en suspenso, abierta, como la pregunta de la condesa que cierra *Capriccio*: ¿por quién se inclinará su corazón, culpable de haber enardecido a dos hombres los cuales, para colmo, tienen profesiones enfrentadas? La solución galante le parece trivial: musicalmente, pasar del dúo al terceto. Pero ella piensa en una salida nada trivial, que nunca sabremos.

Strauss fue un músico a la vez institucional y rupturista. Nació y murió con el imperio, al cual dedicó un conmovedor réquiem de posguerra, las *Metamorfosis*. Quizá sirva para retratarlo la figura de Guillermo II, ese emperador patético y botarate que detestaba su música y lo protegió como inevitable gloria nacional. Imperial, en efecto, es el costado heroico de Strauss, sus poemas sinfónicos dedicados a Macbeth, Don Juan, Zaratustra y a sí mismo en *Una vida de héroe*. Creía en el triunfo de lo memorable por medio del arte, fuera en la figura del pícaro Till Eulespiegel o en la del hombre anónimo que muere y se transfigura, convertido en himno, precisamente en *Muerte y transfiguración*. Imperial y alemán por su segura majestuosidad, su monumentalidad y hasta cierto gusto por la vulgaridad enfática, la mitad feúcha del alma tudesca. Le sacó partido en su *Sinfonía doméstica* y se diluyó en la prosopopeya de su *Sinfonía alpina*.

El joven Strauss escandalizó con *Electra y Salomé*. Una, matricida por medio de su hermano y la otra, caprichosa virgen que se desnuda para conseguir que el tetrarca le sirva la cabeza de Juan el Bautista y así poder besar sus muertos labios. En ellas, las disonancias insistentes y la superposición indescifrable de tonalidades lo aproximaron peligrosamente a la amenaza del atonalismo que andaba por nacer a principio del Novecientos.

Como compensación, Strauss se volvió amable, elegante, travieso y evocador de los clasicismos en obras como *El caballero de la rosa, Ariadna en Naxos, El burgués gentilhombre* y la suite sobre temas de Couperin. Peligrosamente halagador y frívolo, diría un wagnerista pero, en todo caso, en la cima de su mejor gusto. *Capriccio* es el término de este viaje. Se pensó al principio como una historia romántica, situada hacia 1820, para decidirse al fin por el rococó de 1775. En efecto, hay giros arcaizantes junto con modulaciones sin resolver de efecto tenso, bruscas alteraciones de tonalidad que vuelven a la armadura de la clave, blandas disonancias y muy breves gestos melódicos, con un virtuoso ejercicio polifónico a ocho voces. En todo caso, una demostración de excelente caligrafía musical como para probar lo que todos sabemos de la ciencia musical straussiana, capaz de resolver tanto la intimidad de la canción de cámara como el musculoso aparato vocal- sinfónico.

La puesta en escena resolvió en parte el difícil desafío de esta obra tan escasamente teatral. Christof Loy trabajó con lo que más podía servirle como puestista, es decir el desenvolvimiento de los actores. Cuidó la recitación del texto, el desplazamiento de los personajes, el juego de la comparsería, la distinción de las actitudes corporales según las psicologías. Así permitió a los cantantes manifestarse como excelentes piezas de comedia, motivados, concentrados y eficaces. Además, no hubo fallos en cuanto a sus apariencias pues todos mostraron la adecuada física del rol, consiguiendo una convincente homogeneidad, propia de una preparación prolija y ejercitada.

Inadecuado, sin embargo resultó el enfoque general. Trajo la acción a nuestros días, lo cual chirrió porque la obra está retóricamente situada en otra época y otra sociedad. La condesa, por ejemplo, fue marcada como una nerviosa y frívola señora de hoy, que se abalanzó sobre sus pretendientes rompiendo el juego de la excitación a distancia que el libro propone. Quedó forzada su conversión en el grave personaje del final, privado del espejo, un elemento decisivo para su monólogo. Lo mismo en cuanto a la ambientación en gris, desangelada y agobiante, más propia de un pabellón de reposo que de un palacio rococó.

A favor de la velada jugó todo lo musical. Asher Fritsch condujo la orquesta con una prudencia de volumen ejemplar y expuso el detallista labrado straussiano con un aseo infalible. Difícil parece juzgar a los cantantes uno por uno, todos adecuadísimos a las exigencias de decir, actuar y cantar al dedillo, parejos y entregados. Por obvio motivo, destaco a la soprano Malin Byström como Madeleine, de bella sonoridad, exquisitamente musical, sugerente y doliente, rima incluida, cuando cada página lo exigió y, en todo momento, apetecible y vistosa por su presencia y su accionar. —*BLAS MATAMORO*

■ CINE

Todo reside en la infancia

Ray&Liz: Director: Richard Billingham. *Guion:* Richard Billingham. *Fotografía:* Dan Landin. *Reparto*: Tony Way, Ella Smith, Justin Salinger, Patrick Romer, Sam Gittins, James Eeles, Michelle Bonnard, Andrew Jefferson-Tierney, James Hinton. *País:* Reino Unido. *Duración:* 107 minutos. *Año*: 2018.

Acometer la osadía fílmica de buscarse en lo que es el recuerdo sirvió para que Richard Billingham continuase rastreando las huellas de un yo que nunca quiso borrar. Desde aquellas fotografías que realizó en el instituto y que tenían a sus padres como protagonistas, jamás se ha detenido en esa búsqueda constante del retrato de sus progenitores o familiares. *Ray & Liz* es una película altamente peculiar. El único problema que puede ofrecer son los puntos ciegos que no resolverá en aquel espectador que no vaya prevenido. Muchos directores suelen alardear de que ellos hacen cine para sí mismos. Esto es una osadía muy irreal y que muy pocos pueden permitirse. En el caso de Billingham es el ejemplo más exacto de lo que puede significar hacer cine personal. Su fiel reflejo de la Inglaterra post thatcheriana más degradada se transforma no sólo en una radiografía social, es un retrato del recuerdo individual desencarnado. El origen de la película puede encontrarse en esas primeras fotografías de instituto, en las que siguieron y que posteriormente han ido teniendo más cabida en diferentes proyectos que las han dotado de movimiento y a veces de actores. Esto puede apreciarse en unos trabajos visuales que son claramente la base de la película. Si se atiende a un libro como *Ray's a*

Laugh, publicado en el año 2000 y en el que se recopilaron las fotografías familiares, el resultado es demoledor. Sucede lo mismo en el documental *Fishtank* (1998) o el extraordinario cortometraje *Ray* (2016). Todo se encuentra ya perpetrado desde una infancia no muy saludable. ¿Por qué olvidarla? ¿Por qué huir? Richard Billingham la refleja para encontrarse. No juega con la amabilidad o la dulzura, para eso ya están muchas infancias.

Ray & Liz es un tríptico de la intensidad que desgrana su primera memoria. En la primera parte, Ray, interpretado por un inconmensurable Patrick Romer, está en su habitación. No importa qué momento es, si es de noche o de día o si es lunes o sábado. Bebe cerveza fuerte y grita por la ventana a su mujer Liz, que ya no comparte residencia con él, aunque sí acude a visitarle. Esta parte se refleja perfectamente en su cortometraje *Ray*. Billingham conoce la realidad que quiere mostrar y no se preocupa demasiado por cambiar o moldear los recuerdos atendiendo al presupuesto. Sus planos están clarísimos. La cámara se mantiene fija. La pulsión es lo que sucede dentro del encuadre. La segunda parte se centra en un Billingham que debía rondar los 9 o 10 años. Ray perdió su trabajo y le estafaron. Todo en la familia es turbio y se une a ella el tío Lol, que se queda a cargo del hermano pequeño de Billingham. Las trampas en las que cae el pobre tío a cargo de un maléfico inquilino tienen funestas consecuencias. La mofa está filmada con mucha mesura. En esta parte, es Liz, interpretada gozosamente por Ella Smith, quien saca toda esa ira y crueldad que siente hacia el pobre tío Lol, un recipiente al que arroja toda su rabia acumulada. Esas botellas de alcohol, el vómito, el niño con un cuchillo y un grabador que deja constancia de lo sucedido sin trampa. Toda la farsa que crea el inquilino es descubierta pero, aún así, la fumadora y excéntrica Liz no es capaz de rectificar. La tristeza se apodera de la propuesta porque en este tramo se alía con una gran crudeza. La tercera parte se centra nuevamente en ese hermano pequeño, pero ya han pasado unos años. Tras una invitación a un cumpleaños, el niño decide quedarse en el cobertizo del homenajeado y enfrentarse a sus miedos de soledad. Todo por no regresar. Allí, una vez descubierto, se adentra en lo que es la convivencia de una familia estructurada. Ofrece ese abrazo a una madre que no es la suya. Los detalles están filmados por el director británico con mucha astucia por la normalidad con la que lo hace. Su pericia como fotógrafo le ayuda a buscar unos encuadres muy personales, pero su visión es sutil y nada queda en el aire. Tras esa noche de ausencia, los servicios sociales ya buscan acomodo al niño con unos padres de acogida. Algo que el trasunto de Billingham anhela, pero que ya es demasiado mayor para conseguir. No hay recelo hacia sus progenitores, no hay deseo de hacer sangre con su pasado. Simplemente lo expone. Tampoco se centra en lo que fue su vida. Es observador sin otorgarse el protagonismo. Son su hermano y sus padres los que componen este tríptico desolador, aunque en cierta medida también ofrece ilusión en cuanto a que el destino de los niños –si atendemos a la realidad actual de ambos hermanos– no fue como cabría esperarse. En todo caso, su personaje podría resultar insensible o frío con su hermano. ¿Es esa una crítica a sí mismo? ¿Es una forma de juzgarse con dureza? Es posible que sólo se retrate como un superviviente. La película no ofrece muchas pistas en ese aspecto. Es un puzzle que se va conformando, poco a poco, con todo lo que ha ido lanzando Richard Billingham a lo largo de estos años filmando y publicando libros sobre su familia.

La película está filmada en 16 mm. Es un acierto a todas luces. Ese grano que se confiere a la imagen la dota de una mayor verosimilitud. Los planos son inquietantes porque no ofrecen respiro. No duda en ser incómodo con el espectador, pero no importa, todo fluye. Consigue captar la atención y remover. El aspecto críptico que envuelve algunos aspectos de la historia es algo que el autor podría haber trabajado más, pero tampoco parece haberle importado demasiado. Los actores funcionan como un reloj bien engrasado. No hay excesos ni nada que enturbie ese tratamiento del dolor y la asfixia. *Ray & Liz* puede que no sea la mejor película que se haya estrenado este año, pero sin duda será la más particular de todas. Y, si no, al tiempo. —*IVÁN CERDÁN BERMÚDEZ*

▪ TEATRO

La guerra de nunca acabar

Madre Coraje y sus hijos. Autor: Bertolt Brecht. *Traducción:* Miguel Sáenz. *Versión y dirección:* Ernesto Caballero. *Escenografía:* Paco Azorín. *Iluminación.* Paco Azorín y Ernesto Caballero. *Vestuario:* Gabriela Salaverri. *Composición musical:* Paul Dessau. *Música y espacio sonoro:* Luis Miguel Cobo. *Caracterización:* Moisés Echeverria. *Producción:* Centro Dramático Nacional. *Intérpretes:* Blanca Portillo, Ángela Ibáñez, Jorge Usón, Paco Déniz, Paula Iwasaki, Samuel Viyuela, Jorge Kent, Janfri Topera, Ignacio Jiménez, Bruno Ciordia, Raquel Cordero y David Blanco. *Lugar:* Teatro María Guerrero. Madrid. *Fecha:* Del 27 de septiembre al 17 de noviembre de 2019.

E rnesto Caballero cierra su ciclo al frente de Centro Dramático Nacional con una de las más emblemáticas y populares piezas de Bertolt Brecht y culmen de su teatro épico, *Madre Coraje*, después de haber dirigido hace tres años *Vida de Galileo*, otra de las grandes obras –para mí la mejor– del dramaturgo alemán (1898-1956). Brecht concluyó la primera en cinco semanas de 1939 mientras se encontraba en la isla sueca de Lindingo, una de las etapas de un exilio que, huyendo de la furia nazi, había comenzado en 1933 y le forzó a seguir un itinerario que pasó por Dinamarca, Finlandia y Estados Unidos, entre otros países. La estrenó en Zúrich, en 1941, y al poco de su regreso a Alemania, donde se instaló en Berlín oriental después de quince años de nomadeo, la revisó y la dirigió él mismo en 1949 para el Berliner Ensemble, la compañía que acababa de fundar junto a su esposa, la actriz Helene Weigel, que la protagonizó.

Para la elaboración de *Madre Coraje* fue decisiva, al parecer, la colaboración de la infatigable y amorosa Margarete Steffin, una de las mujeres inteligentes y dispuestas, como Elisabeth Hauptmann y Ruth Berlau, que el seductor Brecht logró persuadir para que se convirtieran en compañeras de escritorio y de cama. El documentalista, profesor y ensayista estadounidense John Fuegi se refiere ampliamente a todo ello en su libro *Brecht & Co.* (1995), que no tiene desperdicio.

La pícara Coraje, del escritor barroco alemán Hans Jakob Christoph von Grimmelshausen (1621-1676), y la historia de la arrojada cantinera Lotta Svärd, que se relata en el poema épico *Los cuentos del alférez Stål*, del autor finés Johan Ludvig Runeberg (1804-1877), que Brecht conoció durante su estancia en Suecia, sirvieron de inspiración para el gran personaje protagonista que sobrevive dedicándose al menudeo durante la Guerra de los Treinta Años, el enfrentamiento de nunca acabar que hizo añicos Europa Central entre 1618 y 1648 a causa de las discrepancias entre luteranos y católicos. La cuestión religiosa enmascaró la feroz pugna de las grandes potencias por la hegemonía continental en un pulso bélico que arrasó territorios, sembró el hambre, difundió enfermedades y diezmó la población. Pero a Brecht parece que los motivos de la contienda le interesaban poco en esta ocasión, así que utilizó la Historia como paisaje de fondo de una historia, la de la buhonera Anna Fierling, conocida como Madre Coraje. Ella lo explica en la obra (manejo la traducción del gran Miguel Sáenz en su edición del teatro completo del autor publicada por Cátedra): «Me llamo Coraje porque tuve miedo de arruinarme, sargento, y atravesé el fuego de artillería de Riga con cincuenta panes en el carro. Estaban mohosos y ya era hora, no podía hacer otra cosa». Las banderas le dan igual y cambia la que lleva en su carromato según le convenga para proseguir con sus mercaderías itinerantes.

La motivación económica y la supervivencia son las claves de un personaje que no sólo no tenía connotaciones positivas para Brecht sino que le molestaba que alguien pudiera identificarla como «una especie de hembra animal que defiende ferozmente a sus cachorros», según subraya Sáenz, quien hace hincapié en que «es una mujer sin escrúpulos, una "hiena de los campos de batalla" que trafica con la guerra, a la que considera el estado natural de las cosas». El dramaturgo germano convirtió esta contienda en símbolo y resumen de todas las guerras, aunque, por encima del rotundo y sarcásticamente expreso alegato antibelicista, dirige sus baterías críticas contra quienes hacen de la guerra su negocio o, como en el caso de Anna Fierling, la utilizan como escenario imprescindible donde realizar sus transacciones económicas. A la postre, parece cargar más la mano contra los pequeños trapicheos de esta –tal vez a efectos de parábola dirigida a proletarios codiciosos con aspiraciones pequeñoburguesas y dispuestos a olvidar la solidaridad de clase– que contra los que recogen los gruesos beneficios de las contiendas.

El carro con el que este gran personaje del teatro universal recorre los campos de batalla para vender sus mercancías se engancha a una de las más poderosas analogías literarias, la de la vida como viaje. La senda existencial de este personaje de rompe y rasga pasa sobre los afectos y las dependencias emocionales, su objetivo es seguir a flote por encima de todo en un hábitat forzoso, el conflicto bélico, aunque en él vaya perdiendo a su hijos, mientras prosigue mercadeando afanosamente. Bertolt Brecht la quiso antiheroína y antipática para que el público no se identificara con ella, pero esta corajuda pescadora en río revuelto a veces se libera del corsé de distanciamiento que le cosió el autor y emprende un vuelo a la contra para vestir la túnica ejemplar de madre sacrificada y feroz defensora de la integridad de los tres vástagos de distintos padres que la acompañan en su trashumancia comercial. No en vano, Sáenz hace hincapié en que esta función es «un perfecto ejemplo de la "estética de las contradicciones" que Brecht practicaba con ahínco».

Fue José Tamayo quien estrenó en España *Madre Coraje* en 1966 con Amelia de la Torre como protagonista, sucediéndola Mari Carrillo en 1969; Tamayo –en este como en otros envites uno de los más señalados directores empeñados en poner el reloj del teatro español a la hora del mundo– utilizó una espléndida versión de Antonio Buero Vallejo, que también les sirvió a Lluís Pasqual, que montó la obra en 1986 con Rosa María Sardá al frente del reparto, y al antecesor de Caballero, Gerardo Vera, que hizo lo propio en 2010, con Mercé Aranega en la piel de la Coraje. Otras aproximaciones más o menos recientes a la obra han llevado las firmas de Mario Gas (en 2001, con Vicky Peña y versión de

Feliu Formosa) y Ricardo Iniesta, que dirigió en 2013 su propia adaptación, con Carmen Gallardo en la cabecera del cartel, para celebrar el trigésimo aniversario de la compañía sevillana Atalaya. La estructura de esta pieza de madurez del dramaturgo germano es un tanto reiterativa, quizás con intención didáctica; las escenas se suceden sin que se aprecie una progresión dramática de la cantinera ambulante, amarrada con su carro a la noria de la rutina que engarza guerra y comercio. Sí evolucionan y se desarrollan dos estupendos personajes a su sombra, Kattrin, su hija muda, y el predicador. Con respecto a la insistente y repetitiva tensión del texto, mi querido Marcos Ordóñez no se anda con remilgos en su libro *A pie de obra* (2003), donde confiesa: «Querido señor Brecht: me gusta mucho su teatro, pero me temo que no entiendo demasiado *Madre Coraje*. ¿Ha de ser realmente tan lenta y mortecina?».

Ernesto Caballero, que firma la versión de su montaje a partir de la traducción de Sáenz, trenza en la puesta en escena la desnudez del latido épico brechtiano y una tal vez inevitable cercanía sentimental a lo que sucede en escena, en una suerte de posible traición a las intenciones del autor, pero sin duda al servicio de la intensidad dramática y la amargamente irónica temperatura del texto. La representación se desarrolla sin alardes escenográficos, a caja descubierta, sin proyecciones que ilustren el contexto o evoquen enfrentamientos bélicos, con apenas unas acotaciones cronológicas y geográficas que aparecen en una pantalla para situar la acción, y unos cuantos enseres y objetos necesarios en las escenas: un despojado trabajo del escenógrafo Paco Azorín, también responsable, junto con el director, de la cruda iluminación. Aunque se especifica que la obra transcurre en el siglo XVII, el vestuario de Gabriela Salaverri remite a una uniformidad militar contemporáneamente neutra, una forma de subrayar que una guerra es todas las guerras. Suenan bien las canciones originales de Paul Dessau, uno de los compositores habituales de Brecht, y la música adicional creada por Luis Miguel Cobo, encargado asimismo del inquietante espacio sonoro.

Pese a los deseos de Brecht, resulta muy difícil no aproximarse como espectador al pulso de la antiheroína protagonista y el trabajo de Blanca Portillo, portentoso animal de escena, contribuye a ello. La actriz, que ha

sido Medea, Semíramis, Segismundo y Hamlet, entre otros grandes
personajes, añade a su formidable currículo este papel, en el que se co-
dea con nombres de la talla de Simone Signoret, Anne Bancroft, María
Casares, Liv Ullmann, Glenda Jackson, Judi Dench, Meryl Streep,
Diana Rigg o Kathleen Turner. Tocada con una boina de Ché, su muscu-
latura interpretativa ilumina a una Coraje trepidante y viva, sintiente
y rabiosa por debajo de las conchas de galápago de la cantinera, aunque
resulte en mi opinión algo excesiva al final, cuando avanza tirando de su
carro hacia el público manteniendo un aullido desgarrador. Junto a ella,
brillan Ángela Ibáñez, una actriz con discapacidad auditiva, que encarna
a la hija muda; Samuel Viyuela, el nervioso hijo Eilif, premiado por matar
campesinos para hacerse con sus reses con el fin de destinarlas a la pitanza
de los soldados y luego castigado por lo mismo (así son las guerras); Jorge
Usón, un estupendo predicador; la magnífica prostituta Yvette que borda
Paula Iwasaki y el resto de un bien equilibrado elenco, del viejo militar
interpretado por Janfri Topera al cocinero que encarna con brío Paco
Déniz, pasando por los distinto papeles que asume Jorge Kent.—*JUAN
IGNACIO GARCÍA GARZÓN*

Fundada en 1948 – Cooperación Española
Revista de Literatura y Pensamiento

Suscripción: mcarmen.fernandez@aecid.es
Publicación mensual

CUADERNOS
HISPANOAMERICANOS

MENÉNDEZ PIDAL, MARTIN HEIDEGGER, OCTAVIO PAZ, JULIO CORTÁZAR, YVES BONNEFOY, CHARLES TOMLINSON, GEORGE STEINER, ROBERTO JUARROZ, ALEJANDRO ROSSI, FERNANDO SAVATER, PERE GIMFERRER, OLGA OROZCO, JOSÉ ÁNGEL VALENTE, JORGE EDWARDS, MARTA SANZ, ANDRÉS NEUMAN, JUAN VILLORO, ÁLVARO VALVERDE...

Cooperación
Española

■ LIBROS

El silencio, un bien escaso

Alain CORBIN: *Historia del silencio. Del Renacimiento a nuestros días.* Traducción de Jordi Bayod. Barcelona: Acantilado, 2019, 143 pp.

Hoy en día el silencio está acosado, lleva mucho tiempo acosado y perseguido: los ruidos de la ciudad, el incesante flujo de palabras e imágenes, el difícil e imposible estar solo con uno mismo. Paul Valery decía que el silencio era un fino ruido que es continuo. Hay que escuchar lo que se oye cuando nada se hace oír. Esa nada inmensa al oído. Hoy el silencio está recluido en los templos, en las bibliotecas, en los museos –cada vez menos–... Baudelaire convivía con él en su habitación. Proust se aisló con corcho. Kafka se fue a la habitación de un hotel donde se publicitaba que estaba ajeno a los ruidos. Rilke era el silencio mismo, allí donde estaba todo dejaba de sonar indiscretamente, «un silencio como cuando cesa un dolor». Y si en los templos el silencio es la representación de una fuerza intangible, en los cementerios es una inmovilidad ingrávida y sosegada. Las catedrales, para Max Picard, contenían un silencio incrustado en la piedra. Cada escritor lo ha descrito a su manera: Gracq («El silencio que es hostilidad activa»); Thoreau: «Sólo el silencio es digno de ser oído»; y añadía el escritor norteamericano que el heno brillaba al sol sobre el silencio. Saint-Exupéry volando sobre el desierto: «reina un profundo silencio de casa ordenada». Y Víctor Hugo, en su isla del canal, «el silencio duerme sobre el terciopelo de los musgos».

Alain Corbin recorre las obras de más de un centenar de autores, fundamentalmente franceses del siglo XIX y XX, para tratar de buscar una

definición y sentido que él mismo sabe que no encontrará, que no debe
encontrar. Así pasan por esta especie de antología: Rodenbach, Gracq,
Baudelaire, La Bruyére, Proust, Hugo, Zola, Verne, Bernanos, Lisle,
Mallarmé, Chateaubriand, Flaubert, Saint-Exupéry, Camus, Emmanuel,
Le Clézio, Quignard (no aparece Modiano), Bonnefoy, Jaccottet, entre
otros muchos. Los cito así acronológicamente porque él los nombra
cuando son el eje temático que no temporal. Hay algunos autores extranjeros invitados como Kafka, Whitman, Rilke, Thoureau, Conrad, Walser,
Jane Austen, Bronte, George Eliot, falta por ejemplo Emily Dickinson.
La lista es agotadora. Papel abundante y destacado, como no era menos
de esperar, lo tiene la mística española. Habla del *Tratado de la oración en
silencio* de Baltasar Álvarez, de Luis de Granada, del arte de callar en Ignacio de Loyola, de Santa Teresa y San Juan de la Cruz, del *Oráculo ma-
nual* de Gracián... También se demora en *El cortesano* de Castiglione, y en
su crítica al exceso de locuacidad.

En la historia de la humanidad hay dos ejemplos de vida silenciosa:
San José y Jesús. El silencio del primero siempre fue atronador. Nunca
dijo nada de su hijo adoptivo. En ninguno de los cuatro *Evangelios* se le
menciona. Es María quien reprende a su hijo cuando *éste* se demora ante
los doctores en el Templo. La muerte de José pasa desapercibida. El mu-
tismo de Jesús en los Evangelios es proverbial. Su silencio en el Huerto
de los olivos y en la Cruz se equipara al mismo silencio de Dios. Parque-
dad absoluta. Jesús en toda su corta vida apenas pronunció palabras. El
silencio borra muchos pecados y defectos. El silencio protege de la cólera,
la venganza, la curiosidad, las pasiones, la vanidad. El silencio es un requisito fundamental para el olvido de uno mismo. El silencio es una condición esencial para la plegaria. El silencio es un requisito para escuchar
lenguajes distintos: el interior, el más allá, el de los ángeles. Margaret
Parry escribió que si queremos alcanzar una vida auténtica, es indispen-
sable fundar un monasterio del silencio en nosotros mismos. ¿Jesús a
quién prefería: a Marta o a María? Marta habla y actúa, María calla y
contempla. Según San Lucas, Jesús prefería a María por su silencio.
Marta representa a los clérigos, María a los monjes. Los franciscanos
adoptaron a ambas en lo laborioso y en lo meditativo conjugándolo. Pero
el alma requiere el silencio. «El frío silencio/ El eterno silencio de la Divi-

nidad/ ¿Prueba de su existencia?» (Vigny). El silencio ligado a la noche, al dolor, al erotismo, al frío, al desierto, a la distancia y, sobre todo, a la plegaria. Se me ocurre leyendo estas páginas, la posibilidad y necesidad de hacer una guía de lugares y ciudades asociadas al silencio, no serían muchas. Chateaubriand nombraba a Palmira. Imaginémosla hasta hace poco sumergida en los combates.

En una conversación entre dos amantes siempre hay un tercero. Y ese tercero es el silencio que escucha. Maeterlinck escribió certeramente que lo que se recuerda de un ser al que has amado profundamente no son las palabras que ha dicho, sino los silencios que se han vivido juntos. En *El tesoro de los humildes* hablaba de silencio activo, silencio pasivo, y el silencio que duerme. Max Picard en *Le monde du silence*, escribe que los amantes son los conjurados del silencio. Y Senancour ensalza los sueños del amor como un silencio secreto. Mauriac nos recuerda que toda gran obra –y porqué no pequeña igualmente– nace del silencio y vuelve a él. Y Quignard añade «el lenguaje es nuestra patria, pero venimos del silencio y nos hemos desviado de él cuando todavía andábamos a cuatro patas». El Abbé Dinouart en *L'art de se taire* enumeró hasta once clases de silencio: prudente, artificioso, complaciente, burlón, espiritual, estúpido, aprobatorio, menospreciativo, humorístico, caprichoso, astuto. Dinouart como Gracián y tantos otros, ensalzaban el arte de callar para poder hablar bien.

Hay una parte oscura del silencio que está unida a lo telúrico, a lo terrible de la naturaleza, a lo hostil. En la literatura contemporánea, fundamentalmente en la poesía, el silencio es un asunto desaparecido como Dios mismo. Celan, Bonnefoy, Deguy o Jaccottet, reconocen la disolución de los lazos ancestrales entre la literatura y la religión. Jaccottet habla de la poesía como una manera de luchar contra el vacío. Las referencias al silencio en el cine o en la pintura son muy escasas, pero interesantes. Antonioni con *Blow-up o La Virgen de las rocas* de Leonardo. La música no aparece. Un capítulo hubiera estado bien dedicárselo al silencio final de la *Novena Sinfonía* de Mahler. Ese silencio que sumerge a la música en lo impuro, y al silencio en el misterio de la belleza.

En el fondo, Corbin, le hace un gran homenaje a Bachelard, el referente esencial de esta interesante obra. —*CÉSAR ANTONIO MOLINA*

La materia de nuestra memoria

Diego S. GARROCHO: *Sobre la nostalgia*. Madrid: Alianza Editorial, 2019, 160 pp.

A comienzos del siglo XIX, el doctor Gerbois describió en un pequeño tratado los síntomas más recurrentes que acompañaban a los soldados aquejados de nostalgia. A juicio de este cirujano de la Gran Armada napoleónica, los afectados por esta condición presentaban aire triste y melancólico, mirada estúpida, ojos aturdidos, figura desanimada, disgusto general, pulso débil, fiebre, sollozos y lágrimas mezcladas con silencios obstinados. Su falta de apetito les conducía con facilidad a la depresión e incluso a la muerte. Mucho antes de que fuera encumbrada por la mitología romántica, la nostalgia de la que ahora presumen hasta los niños formaba parte de las enfermedades de la civilización, resultado de pasiones ficticias e ilusiones vanas. El pequeño tratado de Gerbois se situaba, además, en la estela de otros muchos textos similares. Entre 1800 y 1830, la Facultad de Medicina de París evaluó más de treinta tesis doctorales relacionadas con esta condición que, pese a ser una enfermedad del alma, tenía efectos devastadores sobre el cuerpo. En todos los casos, la pregunta era la misma: «¿A qué se puede atribuir el deseo de querer volver a un árbol, a un campo, a una casa que nos fue querida?» Doscientos años más tarde, Diego S. Garrocho ha intentado responder a tan compleja pregunta en este libro. Su ensayo forma parte del creciente interés en la historia y la filosofía de las emociones humanas, de aquellas formas pasionales que, de una manera o de otra, han servido para dotar de significado a la experiencia. Quizá, después de todo, y al contrario que en el caso de los pacientes de Gerbois, ya nadie muera de nostalgia ni se consuma con la mirada extraviada en la añoranza de su país natal, pero sí seguimos anclados en un relato de la memoria claramente relacionado con la constitución de un cierto tipo de recuerdo.

El primer mérito del libro de Garrocho consiste en sortear el tedio de una filosofía ensimismada, pendiente de sus aburridísimas fronteras dis-

ciplinarias, para poner la reflexión teórica al servicio de la clarificación
conceptual del presente. Pertrechado con los conocimientos de los clásicos, a los que había dedicado buena parte de su vida profesional, Garrocho se enfrenta a uno de los temas de mayor calado en el mundo
contemporáneo: la imposibilidad de vivir, y aun de vivir felizmente sin
recordar. Al contrario que para Nietzsche, eso sí, de quien yo mismo he
tomado prestada la frase anterior, Garrocho no ahonda tanto en la imposibilidad de vivir sin memoria cuanto en la circunstancia de que, a su
juicio, es imposible vivir, o al menos vivir humanamente, sin añorar. La
tesis central, aunque no la única de este pequeño libro, es que el ser humano es un animal que añora; una marca de distinción que los seres
humanos, al parecer, poseen en exclusividad. Se trata, sin embargo,
más de una provocación que de una tesis genuina. Después de todo, el
libro de este joven profesor de la UAM no dice mucho sobre la añoranza
animal, pero sí explora con rigor y talento las condiciones de posibilidad
de la experiencia humana. La suya es una historia crítica que busca comprender los elementos de continuidad y discontinuidad de la nostalgia,
comenzando por el momento mismo en que la palabra fue acuñada.

A medio camino entre la historia y la filosofía, Garrocho explora al
mismo tiempo los elementos contextuales y universales de la experiencia.
El ser humano, nos explica, es un animal que añora; no sólo que recuerde,
sino que organiza e imagina el pasado, tanto como el futuro. En alguna
de sus determinaciones, escribe Garrocho, tal vez con la prevención de
quien no se atreve a decir del todo lo que piensa, la nostalgia es una experiencia constitutiva de lo humano. De ahí que convertir la vida en un recuerdo ficcional, en un *souvenir*, sea, a su juicio, tan cultural como
universal.

Pero, ¿cuál sería la característica que debe tener el recuerdo para ser
añorado? ¿Cuáles son esas determinaciones que transforman la memoria
de lo pasado en nostalgia de lo propio y de lo perdido? El dolor, desde
luego. Presente en la misma forma nominal con la que se describió el mal
del país, al sufrimiento local, parroquial, nacional se añadió poco a poco
una dimensión temporal relacionada con el tiempo perdido, con la infancia irrecuperable, con los momentos efímeros de la experiencia. La forma
humana de recordar es dolorosa porque la añoranza consiste en tomar

conciencia de un vacío que ya no puede ser colmado, en echar en falta aquello que ya no volverá jamás y que, incluso, a los ojos del presente, podemos decir cabalmente que quizá nunca existió del modo y de la manera en que lo recordamos.

Desde la ontología del recuerdo a la objetivación de la experiencia en relato, el texto de Garrocho supone la primera gran clarificación sobre la nostalgia publicada en lengua española. Libro brillante y ameno, que ambas cosas no están en absoluta reñidas, erudito y, sin embargo, ágil y fresco, el texto sobrevuela por innumerables figuras de la historia, desde filósofos como Platón o mitógrafos como Eratóstenes hasta literatos como Balzac o Milton. Sin que falten las citas de los personajes ficcionales del mundo del cine, con los que Garrocho reivindica a su generación, el libro abre un espacio de reflexión en el que conviven el uso político de la nostalgia con la historia política de la experiencia. En un mundo como el nuestro en donde el nacionalismo crece al mismo tiempo que las políticas de la memoria, la relación entre el recuerdo, la nostalgia y el olvido ha adquirido una dimensión moral: de mito que no termina de convertirse en historia. Todos lo sabemos. La nostalgia no es una enfermedad, ni siquiera una emoción o pasión, sino un relato. De ahí su carácter al mismo tiempo mitológico e histórico. No es un objeto, sino una forma de decir el mundo: aquella que incide en lo que, pudiendo olvidarse, debe recordarse. El libro de Garrocho no aspira a responder por entero a la pregunta de Gerbois, pero sí permite servir de alimento a quienes quieran vislumbrar la materia de la que se compone nuestra memoria. —*JAVIER MOSCOSO*

La pantalla global

José Jiménez: *Crítica del mundo imagen*. Madrid: Tecnos, 2019, 192 pp.

Sin duda estamos ante un libro valiente por dos razones. La primera: ser capaz de abordar una problemática absolutamente decisiva de nuestra época. La segunda: aventurarse a retomar un hilo conductor iniciado por pensadores de la talla de Benjamin, McLuhann y Baudrillard entre otros.

No se puede decir que el autor de este trabajo se ande con rodeos al presentar el asunto principal. En las primeras líneas afirma: «el mundo en el que hoy vivimos se ha convertido plenamente para los seres humanos en una imagen» y sin solución de continuidad completa el argumento con la definición de imagen, o más concretamente de «mundo imagen», «una representación sensible multimedia transmitida por una pantalla global continua en todos los lugares del planeta».

Frente al fácil recurso, ya periclitado, de apelar a una posmodernidad, José Jiménez afirma que seguimos viviendo en la modernidad. En ella es predominante el deseo de vivir el tiempo presente. Mientras otras épocas han necesitado de mitos del origen, la nuestra sigue proclamando con Fausto «en el principio fue la acción».

Y en la pertinencia de abordar nuestra época ubica Jiménez el papel decisivo de la Estética. La Estética aporta «la toma de consciencia y el programa de una plasmación icónica, de una configuración en el universo de la representación, del ideal de humanidad». Dicho de otro modo, la Estética nos estimula a cambiar nuestra relación con la imagen. A transmutar esa imagen fugaz, en imagen consciente. A ser capaces de traspasar la cortina icónica situada entre nosotros y el mundo, que nos incita simplemente a mirar, y poder, en definitiva, ver. La Estética asumiría el rol que atribuía Baudelaire al artista en contraposición al del *flâneur*. Mientras aquél extrae lo eterno de lo transitorio, éste (parangonable al navegante o surfista por la *world wide web* de nuestros días) se contenta sin más con pasear sin rumbo fijo por la ciudad moderna y dejarse llevar por lo fugaz. Y aquí, tiene mucho que decir uno de los pensadores preferidos del autor, Friedrich Schiller, para quien la necesidad de lo estético radica en introducirnos en la experiencia de la forma, por la que lo exterior se articula y estiliza en una experiencia interior.

No es fácil el empeño de esta nueva educación estética de la humanidad, pues el *sensórium del clic* y de la repentización se ha apoderado de las nuevas generaciones. Si Virilio denuncia como consecuencia de dicho estado de cosas un *debilitamiento profundo de la memoria*, y Castells nos habla de cómo bajo estos parámetros se propicia un «tiempo atemporal», Jiménez considera que hemos entrado en lo que él denomina *galaxia fotografía*. En ese sistema interestelar y planetario, nuestra relación con la imagen corre el peligro del prurito de la avidez, del ansia de la captura de la apariencia, del impulso de apropiación (ese reflejo condicionado del consumismo) y de la amenazadora preeminencia de la imagen respecto a lo ocurrido. Al hilo de ello, el autor comenta la trágica recepción de *El buitre* (1993) que culminó con el trágico suicidio del fotógrafo Kevin Carter. Mientras que «el arte clásico detenía el tiempo al aislar, individualizar, la imagen», la "fotografía también lo detiene, pero multiplica, serializa la imagen, con la que la vuelve indistinta, homogénea». Este *sensórium del clic* está instrumentado por las tres vías masivas de esteticidad: el diseño, la publicidad y los medios de comunicación, así como por sus respectivas estrategias: la elaboración del *prototipo*, la campaña y la *estructura*. Así, la comunicación global «conlleva una modulación de la experiencia a través de la imagen masiva, o para ser más precisos de la imagen global». El *mundo imagen* ya es, sin más, el mundo. Una analogía de esta situación es *Matrix* (1999) de los hermanos Wachovski, hay un salto de la máquina analógica a la digital, productora de una imagen global externa determinante y demarcadora de lo que es real y lo que no lo es. Estas reflexiones conectan directamente con el capítulo «Despliegue y escenarios de la imagen global», donde se desmitifican las redes sociales denominándolas *redes digitales*, por la superficialidad de las relaciones que tejen y la cantidad de cautivos digitales sojuzgados a golpe de «like», o se tiene en cuenta la transformación que según Fontcuberta opera el *selfie*, transformando el «esto-ha-sido», por «yo-estuve allí».

Referencias a Marcuse y «el hombre unidimensional» a Baudrillard y su teoría del simulacro y a Debord y la sociedad del espectáculo, preceden a un capítulo que merece una mención especial: «¿Dónde queda el arte?». En él se trata de Marcel Duchamp, una figura bien conocida por el autor. No olvidemos que éste, en 2012, culminando años de investigación se hizo cargo de una cuidada edición de los escritos del artista en Galaxia Gutenberg. La configuración o mediación técnica de las imágenes lleva consigo procedimientos de integración de todo tipo de soportes, son dispositivos multimedia. Y de ese modo la experiencia estética se torna más difusa, dibujando una fuerte tendencia a la inmaterialización, concretada no pocas veces en la *«disociación entre la forma y el objeto material»*, lo cual está ligado al conceptualismo. Duchamp obtuvo de este proceso una evidencia: «en un mundo dominado por la expansión de la técnica, las artes no podían seguir aspirando a situarse de manera exclusiva y jerárquica en el ámbito de la "creación"». De un modo análogo Benjamin, treinta y dos años después (y esta dilación temporal es recalcada por Jiménez) afirma que la reproductibilidad técnica desligó al arte de su fundamento cultual, extinguiendo su autonomía. Como corolario de este capítulo, el autor vuelve a Duchamp, cuyo *Gran Vidrio*, por la complejidad, que entrañaba era completamente irreproducible. De ese modo el artista invirtió el provocativo gesto del *ready-made*. Pasó de presentar el cambio de parámetros del arte producido por la plena reproductibilidad técnica a conseguir adentrarse en el terreno de su imposibilidad.

En el capítulo «¿Qué es una imagen?» se hace un leve y sugerente recorrido por las escrituras ideográficas, los caligramas de la escritura visual y la onomatopeya para afirmar la relación fuerte e indisociable entre lo gráfico y lo conceptual que se encuentra en la raíz de la cultura. También, en este mismo capítulo se da cuenta de los hitos principales del surgimiento del concepto imagen: la democratización instrumentada en la escritura en la polis griega, la traslación de la mímesis al ámbito de la posible, y la paulatina generación del arte (esa institucionalización de la experiencia estética en el mundo occidental).

¿En qué imagen vivimos? ¿En la de la membrana continua e ininterrumpida de secuencias del mundo imagen? O ¿en un ámbito como el del arte que consigue aislar, cortar, detener, ralentizar, acelerar, invertir o

subvertir, y, de ese modo singularizar la imagen? En definitiva, este dilema es la reformulación del *sapere aude* (atrévete a saber) de Kant, en un
diferencia la imagen.

Desde el punto de vista lingüístico, aparte de la siempre elegante
prosa de Jiménez, destaca una serie de análisis etimológicos que convierten ciertos términos en objetos de un pensamiento detenido, a partir del
cual se desarrollan muy jugosas reflexiones. Traigo a colación los ejemplos de metrópolis como metro-polis (ciudad-medida), foto-grafía (dibujo de luz) o tecno-logía (técnica inteligente).

En definitiva, un libro que pretende convertirse en herramienta crítica para, tal y como señala Remedios Zafra, enfrentarnos a la opresión
simbólica de un mundo veloz y excedentario. —*MIGUEL SALMERÓN
INFANTE*

Una nueva aurora en el conocimiento de María Zambrano

María ZAMBRANO: *Obras completas IV: 2 tomos. Libros (1977-1990)*. Tomo 1 (915
páginas). Tomo 2 (876 páginas). Dirección, Jesús Moreno Sanz. Barcelona:
Galaxia Gutenberg, 1918 y 1919, respectivamente.

Bien podemos felicitarnos todos por la publicación de este volumen IV de las *Obras completas* de María Zambrano (Vélez-Málaga,
1904-Madrid, 1991). Motivo por el que, en primer lugar, debemos agradecer el esfuerzo realizado por cada uno de los editores de estos libros, en
la escrupulosa limpieza del texto crítico, precedido, en cada uno de los
libros, por una profunda e ilustrativa presentación: *Claros del bosque*, por
Mercedes Gómez Blesa: *De la Aurora*, por Jesús Moreno Sanz; *Senderos*,
por Sebastián Fenoy y Jesús Moreno Sanz; *Notas de un método*, por Fernando Muñoz Vitoria; *Algunos lugares de la pintura*, por Pedro Chacón

Fuertes; y *Los bienaventurados*, por Karolina Enquist Källgren, Sebastián
Fenoy y Jesús Moreno Sanz.

Merece llamarse la atención sobre la cuidada y detallada labor coor-
dinadora de su director. Gracias a ella, el máximo rigor en los criterios de
investigación, trabajo, elaboración y exposición ha fructificado en mostrar la singularidad y, por lo tanto, el tratamiento específico de cada libro;
rasgos imprescindibles para superar la variable dificultad de fijar la edición crítica de los textos.

El Anejo crítico, excepto en el caso de *Senderos*, consta de seis apartados: 1. Descripción del libro; 2. Ediciones; 3. Genealogía; 4. Relaciones
temáticas; 5. Criterios de edición; 6. Notas. Al igual que el Anejo crítico
de los demás volúmenes, el de este puede parecer, en una primera ojeada,
excesivamente extenso y prolijo. En realidad, sin embargo, se muestra
como imprescindible en cada uno de esos apartados, y en especial en los
dos relativos a «Genealogía» y «Relaciones temáticas» –pareciéndome
este apartado uno de los grandes logros de esta edición– y, por supuesto,
en las múltiples notas justificativas e informativas. Lo mismo sucede con
las extensas, en su excelencia, presentaciones. En suma, la «patentiza-
ción» exhaustiva que se hace de cómo esos cuatro libros brotan de un
tronco común, el desenvolvimiento en espiral del pensamiento de nuestra
autora –*meditación entrecruzada* la denomina ella misma– no menos que las
informaciones sobre la singularidad de *Algunos lugares de la pintura* y *De
senderos*. Incluso, de hacer una leve crítica, sería que, en algún caso, se han
quedado cortos, como soslayar el poema «A la rosa», de Francisco de
Rioja, y su repercusión en incontables fragmentos de estos libros.

Los cuatro libros finales –*Claros del bosque*, *De la Aurora*, *Notas de un
método* y *Los bienaventurados*– son un florecimiento progresivo del pensamiento complejo de la escritora. En la aclaradora «Nota Introductoria» a
este volumen, Jesús Moreno ofrece una síntesis admirable de cómo estos
cuatro libros culminantes son el resultado de una evolución profunda y
detallada, desde aquel señalado como tronco común; más aún, demues-
tra, con un gran dominio de la obra completa de la escritora, que toda su
producción está profundamente conectada y que las cuatro ramas finales,
que son aquellos cuatro libros, configuran «el árbol entero de su pensamiento».

Huelga señalar, en consecuencia, que estos cuatro libros se fundamentan en los antecedentes filosóficos de la autora, que van clarificándose con el paso del tiempo. En el año 1954, según los editores de estas *Obras completas*, se produce un giro decisivo, que constituye el tronco común de la evolución del pensamiento de María Zambrano a partir, en primer lugar, de «Proyecto de metafísica partiendo de Aristóteles»; en segundo lugar, «Ética de la razón vital» (1954) que, de inmediato, transmuta en «Ética de la vida es sueño según la razón vital» (1955-1958) –que señala con exactitud el momento en que su pensamiento, fiel a la razón vital, se bifurca, no obstante, por senderos distintos a los del maestro Ortega y Gasset, como, por lo demás, bien explicará ella misma, en *De la Aurora*–; en tercer lugar, «Historia y revelación» (1953-1973) y, por último, «El Hijo del Hombre» (1974-1976). Estos cuatro proyectos inéditos, pues, constituyen el tronco común en el que plantea ya su nueva concepción triple de la metafísica –trágica, matemática y ética– que, progresivamente, gracias a unas visiones geométricas y percepciones musicales, intuye las ideas que constituirán el pensamiento germinal de *Notas para un método* que, alrededor de 1972, según declaración explícita de la escritora, se convertirán en *Notas de un método*, título general en el que encuentra sentido pleno aquella metafísica matemática, como articulación entre la ética y la trágica. Con este equipamiento órfico y pitagórico, se trata de ensamblar espacio y tiempo –las formas a priori de la interioridad y la exterioridad kantianas– que constituyen el tronco del que saldrán los cuatro libros que nos ocupan. El primer paso es la transformación del título *Notas del método* en *Claros del bosque* que da paso a los primeros textos explícitos sobre la metáfora de la aurora. La clara decisión de dedicar este libro sobre la aurora a su madre prueba la intuitiva importancia que le concedía. Por la misma fecha surge el primer texto sobre los bienaventurados, que va desarrollándose casi de manera impositiva en su interior.

Ya desde muchos años antes, el gnosticismo y los místicos han interesado a Zambrano. Estudios sobre misticismos orientales, Miguel de Molinos, san Juan de la Cruz, Eckart o Böhme estructuran la doble vía de acercamiento al desarrollo de las cuatro ramas del tronco común: *Claros del bosque* y *Notas de un método* siguen la vía positiva y filosófica –expresión del *nous poietikós*–; mientras que *De la aurora* y *Los bienaventurados* proceden de la vía negativa –*el centro recóndito que arde e inspira*– de clara vinculación a experiencias místicas y al *logos spermatikós* y al *logos pneumatikós*.

El resultado de este doble desarrollo es el nacimiento de un nuevo humanismo, con la constitución de una metafísica integradora, que intenta superar la fenomenología e integrar *ser, vida* y *realidad*, conceptos independientes para la filosofía occidental. Aquí precisamente adquiere sentido pleno la incorporación del libro *Senderos*, con el objetivo de sintetizar los diversos caminos seguidos por Zambrano: a una selección de *Los intelectuales en el drama de España*, añade «San Juan de la Cruz. De la *noche oscura* a la más clara mística» y *La tumba de Antígona*. Obras escritas en un período que abarca más de treinta años de la vida de la pensadora, y que incluyen la guerra y el exilio, justifican esa diversidad enunciada en el título, de experiencia y pensamiento. Algo similar cabe decir de *Algunos lugares de la pintura*; en la diversidad de autores y obras, planea como una constante el resplandor esperanzado, en símbolo y significado, de la metáfora de la aurora.

Notas de un método es, probablemente, la obra en la que el hombre «integrado» –el «hombre verdadero» del que se habla en *Los bienaventurados* y en *De la Aurora*– puede enquiciar «la propia razón en sus raíces más experienciales y místicas», superando el ocultamiento al que condujo la filosofía occidental. Estos libros, en fin, representan, por una parte, la superación del demiurgo gnóstico; por otra, a causa de la poderosa «razón poética», una visión mística de lo divino y de las criaturas, bastante alejado del gnosticismo dualista.

Por lo demás, hay que resaltar que, con este volumen, se terminan de publicar los veintitrés libros que María Zambrano quiso publicar en vida.

En definitiva, el esfuerzo titánico realizado para la edición primorosa de estos seis libros –como la de los anteriores de estas *Obras completas*– merece nuestro mayor reconocimiento y gratitud. Los textos fijados son dignos de su autora. Y la riqueza de su Anejo crítico es un tesoro de recursos incalculables para futuros estudios, que facilitan y, sin duda, anuncian una nueva *Aurora* en el conocimiento de María Zambrano.—*JUAN MANUEL VILLANUEVA FERNÁNDEZ*

La **cultura** pasa por aquí

arce
ASOCIACIÓN
DE **REVISTAS**
CULTURALES
DE ESPAÑA

C/ Orfila, 3 - 2° Izquierda. 28010 Madrid │ Tel.: 91 308 60 66 │ Fax: 91 310 55 07 │ E-mail: info@arce.es │ www.arce.es

www.revistasculturales.com │ www.quioscocultural.com

App «ARCE» disponible para iPhone/iPad y dispositivos Android

■ LIBROS SELECCIONADOS ■

Literatura

Iñaki Abad. *Las amargas mandarinas*. Madrid: Huso, 2019, 407 pp.

Alfredo Baranda. *Drácula, luz de mi vida*. Premio Tristana. Palencia: Menoscuarto, 2019, 176 pp.

Javier Calvo. *Piel de plata*. Barcelona: Seix Barral, 2019, 320 pp.

Carlos Catena. *Los días hábiles*. Premio Hiperión. Madrid: Hiperión, 2019, 66 pp.

Marcos Díez. *Desguace*. Premio Ciudad de Burgos. Madrid: Visor, 2019, 72 pp.

Marlon James. *Leopardo negro, lobo rojo*. Traducción de Javier Calvo. Barcelona: Seix Barral, 2019, 816 pp.

David Lagercrantz. *Millenium 6. La chica que vivió dos veces*. Traducción de Martin Lexells. Barcelona: Destino, 2019, 592 pp.

Philippe Lançon. *El colgajo*. Traducción de Juan de Sola. Barcelona: Anagrama, 2019, 443 pp.

Javier Lorenzo Candel. *Apártate del sol*. Sevilla: Isla de Siltolá, 2019, 68 pp.

Fede Nieto. *Niño anómalo*. Madrid: Hurtado y Ortega, 2019, 143 pp.

Pola Oloixarac. *Mona*. Barcelona: Literatura Random House, 2019, 160 pp.

Arturo Pérez Reverte. *Sidi. Un reino de frontera*. Barcelona: Alfaguara, 2019, 376 pp.

Juan Trejo. *La barrera del sonido*. Barcelona: Tusquets. Barcelona, 2019, 314 pp.

Documentos, pensamiento, arte, historia

Mariano Aguirre. *Salto al vacío*. Barcelona: Icaria, 2018, 168 pp.

Vicente Aleixandre. *Cartas italianas*. Sevilla: Renacimiento, 2019, 304 pp.

Manuel Álvarez Tardío y Javier Redondo Rodelas. *Podemos*. Madrid: Tecnos, 2019, 351 pp.

Maeve Brennan. *De Dublín a Nueva York*. Traducción de Isabel Nuñez. Barcelona: Malpaso, 2019, 536 pp.

Guillermo Busutil. *La cultura, querido Robinson*. Madrid: Fórcola, 2019, 401 pp.

Agatha Christie. *Autobiografía*. Barcelona: Espasa, 2019, 672 pp.

Antonio Colinas. *Sobre María Zambrano, misterios encendidos*. Madrid: Siruela, 2019, 400 pp.

Marguerite Duras. *El dolor*. Traducción de Clara Janés. Madrid: Alianza, 2019, 207 pp.

José Luis Garci. *Memorias de Ray Bradbury*. Madrid: Hatari Books, 2019, 304 pp.

Luis García Montero. *Las palabras rotas. El desconsuelo de la democracia*. Barcelona: Alfaguara, 2019, 225 pp.

Gaziel. *Meditacions en el desert (1946-1953)*. Barcelona: L'Altra Editorial, 2018, 352 pp.

Javier Gomá. *Dignidad*. Barcelona: Galaxia Gutenberg, 2019, 216 pp.

David King. *El juicio de Adolf Hitler*. Barcelona: Seix Barral, 2019, 648 pp.

Daniel J. Lewitin. *La mentira como arma*. Traducción de Jesús Martín. Madrid: Alianza Editorial, 2019, 296 pp.

Henry Miller. *La sabiduría del corazón*. Barcelona: Stirner, 2019, 304 pp.

Ricardo Moreno Castillo. *Los griegos y nosotros*. Madrid: Fórcola, 2019, 126 pp.

Antonio Muñoz Molina. *Tus pasos en la escalera*. Barcelona: Seix Barral, 2019, 320 pp.

Jesús Nuñez. *Daesh*. Madrid: Catarata, 2019, 128 pp.

Georg Simmel. *Goethe*. Traducción de José Rovira Armengol. Sevilla: Renacimiento, 2019, 379 pp.

Jordi Soler. *Mapa secreto del bosque*. Barcelona: Debate, 2019, 176 pp.

Eugenio Trías. *La filosofía y su sombra*. Barcelona: Galaxia Gutenberg, 2019, 232 pp.

Ida Vitale. *Shakespeare Palace*. Barcelona: Lumen, 2019, 240 pp.

■ COLABORAN EN ESTE NÚMERO ■

JORGE ALEMÁN. Psicoanalista y escritor. Doctor *Honoris Causa* por la Universidad de Psicología Rosario. Profesor honorario de la Universidad de Buenos Aires. Miembro de la Asociación Mundial de Psicoanálisis. Autor de *En la frontera. Sujeto y capitalismo.*

NATALIO R. BOTANA. Profesor Emérito en la Universidad Torcuato Di Tella. Miembro de Número de la Academia Nacional de la Historia (Argentina).

ANA CARRASCO-CONDE. Profesora de Filosofía en la Universidad Complutense de Madrid. *Presencias irReales* es su último libro publicado

FERNANDO CASTRO FLÓREZ. Profesor titular de Estética en la Universidad Autónoma de Madrid, crítico de arte y comisario de exposiciones. Miembro del comité asesor del MNCARS. Sus libros más recientes son *Estética de la crueldad* y *Filosofía tuitera y estética columnista.*

JORGE FERNÁNDEZ GONZALO. Profesor de Filosofía en la Universidad Complutense de Madrid. *Filosofía zombi, Iconomaquia. Imágenes de Guerra* y *La resta risible* son algunos de sus ensayos.

ALIETO ALDO GUADAGNI. Doctor en Economía por la Universidad de California (Berkeley). Ha sido Director Ejecutivo del Banco Mundial, Embajador argentino en Brasil y Secretario de Estado de Argentina. Cuenta con una larga trayectoria como profesor universitario.

PAULA MEEHAN. Poeta y dramaturga irlandesa. Ireland Professor of Poetry. Entre sus libros publicados destacan la antología *Mysteries of the Home* y los más recientes, *Painting Rain* y *Geomantic.*

CARLOS NEWLAND. Doctor en Historia por la Universidad de Leiden, profesor del ESEADE y UTDT. Ha sido Fortabat Fellow en Harvard y Guggenheim Fellow. Autor de múltiples obras sobre desarrollo e historia económica de América Latina.

FERNANDO ROCCHI. Doctor en Historia por la Universidad de California (Santa Barbara). Profesor investigador del Departamento de Estudios Históricos y Sociales de la UTDT. Ha escrito libros y artículos sobre historia económica argentina, la evolución del consumo y el desarrollo de la publicidad en Sudamérica.

ALBERTO RUIZ DE SAMANIEGO. Profesor de Estética de la Universidad de Vigo, crítico cultural y comisario de exposiciones. *La ciudad desnuda. Variaciones en torno a* Un hombre que duerme *de Georges Perec y* El lugar era el desierto. Acerca de Pier Paolo Pasolini *son sus obras más recientes*

JOSÉ VARELA ORTEGA. Historiador. Patrono Fundador de la Fundación José Ortega y Gasset-Gregorio Marañón, editor de *El Imparcial* y director de *Revista de Occidente.* Doctor por la Universidad de Oxford y en Historia Contemporánea por la Complutense de Madrid. Ha sido catedrático de las Universidades de Santiago de Compostela, Valladolid y Rey Juan Carlos. Recientemente ha publicado *España. Un relato de grandeza y odio.*

VIÑETA

Rosa Hernández Fraile (Salamanca, 1984). Ha expuesto e intervenido en salas independientes de arte como Sala de Cura o Espacio de Arte Contemporáneo El Gallo, en museos como el Da2 Domus Artium el cual editó su libro *La península humana «Prohibido fijar imágenes»*, Centro Párraga, IVAM, en la Filmoteca de Castilla y León y en teatros como el Juan del Enzina. Su película *Un año - Una obra cada día*, co-dirigida junto a Domingo Sánchez Blanco, ha sido proyectada en América Latina y en la XX Bienal Internacional de Artes Visuales de Santa Cruz de la Sierra, Bolivia. Actualmente investiga la encuadernación artística en todas sus posibilidades especulativas.

La viñeta de portada y las ilustraciones del interior se publican por cortesía de la artista.

Advertencias

La Secretaría de Redacción de esta Revista acepta para su consideración cuantos originales inéditos le sean remitidos, pero no se compromete a su devolución ni a mantener correspondencia sobre los mismos, excepto cuando hayan sido solicitados.

Revista de Occidente no se hace responsable de las opiniones en ella expresadas por sus colaboradores.

Depósito legal: M: 3.576/1963

Revista de Occidente

80€
Suscríbete

+34 91 447 27 00
revistaoccidente.coordinacion@fogm.es
www.ortegaygasset.edu
Fortuny, 53
28010 Madrid (España)

Tarifas de suscripción anual 2019
(10 números sencillos + 1 número doble)

España	80 €	Europa	132 €
América, África y Oriente Medio	143 € (200 $)	Asia y Oceanía	162 € (225 $)

Ejemplar sencillo: España (8 €) Extranjero (12 €)
Ejemplar doble: España (12 €) Extranjero (14 €)

Revista de Occidente

BOLETÍN DE SUSCRIPCIÓN(°)

Nombre

Entidad

NIF/NIE/CIF

Dirección   CP

Población   Provincia

País   Teléfono

E-mail

Suscripción a partir del número

FORMA DE PAGO

Transferencia bancaria: Bankia.
IBAN: ES 37-2038-1817-7160-0008-7605
SWIFT: CAHMESMMXXX: 2038-1817-7160-0008-7605

Cheque adjunto

Tarjeta de crédito (vía web: www.ortegaygasset.edu)

Domiciliación bancaria (sólo para España)

Sr. Director de

Sucursal nº

Titular de la cuenta

Ruego atienda hasta nuevo aviso los recibos que anualmente les presentará
Revista de Occidente contra mi cuenta corriente:

Código extranjero	Entidad	Oficina	DC	Número de cuenta

Fecha y firma

* De conformidad con lo dispuesto en la Ley Orgánica 15/1999, de 13 de diciembre, de protección de datos de carácter personal, le informamos de que sus datos de carácter personal son incorporados en ficheros titularidad de la Fundación José Ortega y Gasset-Gregorio Marañón, cuyo objetivo es la gestión de las suscripciones o solicitudes de envío de las publicaciones solicitadas y las acciones que eso conlleva.
Para ejercitar los derechos de acceso, rectificación, cancelación y oposición previstos en la ley, puede dirigirse por escrito a Fundación José Ortega y Gasset-Gregorio Marañón, calle Fortuny 53, 28010 Madrid.